Éditions Druide
1435, rue Saint-Alexandre, bureau 1040
Montréal (Québec) H3A 2G4

www.editionsdruide.com

ÉCARTS

Collection dirigée par
Normand de Bellefeuille

DE LA MÊME AUTEURE

Conspiration autour d'une chanson d'amour, roman, XYZ éditeur, 2013.

Les cages humaines, roman, XYZ éditeur, 2010.

Eldon d'or, roman, XYZ éditeur, 2006.

Les mouches pauvres d'Ésope, roman, XYZ éditeur, 2004.

LA SÉPARATION DES CORPS

Catalogage avant publication de Bibliothèque et Archives nationales du Québec et Bibliothèque et Archives Canada

Andrewes, Emilie, 1982-
La séparation des corps : roman
(Écarts)

ISBN 978-2-89711-323-0
I. Titre. II. Collection : Écarts.
PS8601.N45S46 2017   C843'.6   C2016-942049-3
PS9601.N45S46 2017

Direction littéraire : Normand de Bellefeuille
Édition : Luc Roberge, Anne-Marie Villeneuve et Normand de Bellefeuille
Révision linguistique : Diane Martin et Jocelyne Dorion
Assistance à la révision linguistique : Antidote 9
Maquette intérieure : Anne Tremblay
Mise en pages et versions numériques : Studio C1C4
Œuvre en page couverture : *Flores Strŏphïum* de Pol Turgeon
Conception graphique de la couverture : Anne Tremblay
Photographie de l'auteure : Maxyme G. Delisle
Diffusion : Druide informatique
Relations de presse : Nathalie Vital

Les Éditions Druide remercient le Conseil des arts du Canada
et la SODEC de leur soutien.

Gouvernement du Québec – Programme de crédit d'impôt pour l'édition
de livres – Gestion SODEC.

Ce projet a été rendu possible en partie grâce au gouvernement du Canada.

Canadä

ISBN PAPIER : 978-2-89711-323-0
ISBN EPUB : 978-2-89711-324-7
ISBN PDF : 978-2-89711-325-4

Éditions Druide inc.
1435, rue Saint-Alexandre, bureau 1040
Montréal (Québec) H3A 2G4
Téléphone : 514-484-4998

Dépôt légal : 1er trimestre 2017
Bibliothèque nationale du Québec
Bibliothèque nationale du Canada

Imprimé au Canada

Emilie Andrewes

LA SÉPARATION DES CORPS

roman

Druide

À Castor (Estelle Ouellet)
et à la descendance des rêves

1

NAISSANCE

> Je t'aurais peinte : pas sur le mur,
> mais sur le ciel même d'un bord à l'autre.
>
> Rainer Maria Rilke, *Le livre des heures*

En observant les membres de cette famille, on se trompait sur toute la ligne. On les aurait crus sociables, atteints d'une joie inhabituelle, mais bien au contraire. Dans ce climat poisseux, lié au divorce imminent de ses parents, Christina n'appelait jamais ses amis et elle cachait sa famille, surtout depuis la naissance du petit frère ; à croire qu'elle voulait dissimuler le rejeton à la tête de gerboise qui toussotait dans ses faux cols de dentelle. Alors, pour vouloir inviter Marie-Ange à souper, il fallait vraiment qu'ils soient de parfaite humeur. Marie-Ange était la cuisinière de la famille. Haïtienne d'origine, elle préparait les plats pour plusieurs familles du quartier. Elle proposait jusqu'à cinq repas par semaine. Pour l'instant, elle avait sauvé trois familles du *burn-out* et elle se consacrait dorénavant avec acharnement à celle de Christina. Une grandeur d'âme qui pouvait faire peur.

Dimanche arriva.

— Marie-Ange s'en vient, annonça Marina, la mère de Christina, qui raccrocha le combiné.

Elle regarda dans le vide.

— Ah oui? laissa tomber son père.

— Tout le monde s'en fout, mais c'est toujours bien elle qui nous fait à manger, c'est à son tour, dit la mère en se secouant pour se donner un brin d'enthousiasme.

— C'est sa fête? demanda Christina.

— Fais la vaisselle. Maudit que c'est long, l'adolescence, grommela son père.

— Je ne sais pas ce que c'est que l'adolescence, tu me l'as volée avec ta sale humeur.

— Si tu ne sais pas ce que c'est, demande à ton cellulaire.

Christina partit vers sa chambre en mâchant de la gomme. Son cellulaire sonna dans la poche de son coton ouaté. Elle ferma la porte en répondant et en invoquant Satan et ses malédictions.

— Vingt ans déjà, murmura sa mère, rêveuse.

— On dirait que personne ne va en sortir vivant.

— Shhhh. Les gens qui parlent beaucoup finissent toujours par être méchants.

— C'est qu'il n'y a pas grand-chose à dire sur les gens gentils.

Marie-Ange sonna et tendit son manteau d'automne au père. On l'invita à prendre place à table. Christina était assise à côté d'elle et ses parents siégeaient en face. La cuisinière avait les cheveux tirés en arrière, attachés, noirs et lisses comme les crins d'un poney éthiopien. Elle avait un air sévère et son corps d'athlète se serrait les coudes sur la table. L'air était nauséabond, sûrement que le petit Loy avait encore fait dans son berceau de bois de cèdre pourri. Le chat fut le premier à s'en rendre compte, et manifestement personne ne lèverait son derrière pour aller le changer.

— D'où vient ta passion pour la cuisine, Marie-Ange, tu as toujours été aussi bonne? demanda Marina.

— Ton mari est choyé, dit le père.

Christina leva les yeux au ciel en frappant la table avec sa main.

— Papa.

Elle sourit à Marie-Ange.

— Tu n'es vraiment pas obligée de répondre.

— J'ai appris avec ma grand-mère, expliqua Marie-Ange, j'étais toujours à l'aider. Mais non, je n'ai pas de mari choyé, ajouta-t-elle en riant.

— Pourquoi es-tu partie de ton pays?

— Pour vivre. Parce que beaucoup de femmes en Haïti ont un destin fantôme. Surtout celles qui ont un mari. Je ne suis pas condamnée à ce destin, et je suis partie.

— Tu as bien fait, approuva Christina.

— Mais tu as un fils? demanda Marina. Celui qui est à l'école spécialisée…

— J'ai eu un fils quand j'avais vingt-deux ans. Il a l'âge mental d'un enfant, mais il vient d'avoir vingt ans. Comme Christina.

— C'est quoi, cette comparaison merdique ?

— Je l'ai eu dans mon pays. Il est venu avec moi à Montréal.

— Et le père, il le voit toujours ? s'enquit le père, l'homme pensant à l'homme.

— Non.

— Mais tu n'as pas fini de la bombarder de questions ?

— Marie-Ange, ça, c'est un nom français, remarqua au vol, vive d'esprit, la mère.

— C'est à cause de la vague d'immigration française des années soixante-dix dans mon pays, précisa Marie-Ange.

— Ah, j'ai cru que c'était à cause de l'ange Gabriel, rajouta la mère.

— Heu... non.

Christina mangeait du pain.

— Mais ça suffit, maman...

— Ma fille est exaspérée.

— C'est vraiment délicieux, je vous remercie, lança Marie-Ange.

La suite du souper se déroula sans autre esclandre. Parfois, la mère soupirait, comme envahie d'une nostalgie et d'un épouvantable ennui face à la visite. On entendit le petit frère de Christina, de presque un an, pleurnicher. Il lança son écureuil en peluche vers le saladier. La cuisinière se leva et se dirigea vers lui. Elle prit l'enfant à bout de bras et le contempla.

— Laissez-moi changer la couche de ce petit bonhomme. Après, on ira se promener.

— Tu es un amour, dit Marina.

— Je vais t'accompagner, proposa Christina en enlevant son assiette.

— Tu vas promener ta nicotine ? blagua son père en se resservant du vin.

— T'es con.

— T'es accro.

— Je préfère être accro plutôt que d'être un sale alcoolo.

— Hé ho ! on se calme les nerfs, intervint la mère.

Christina alla rejoindre Marie-Ange dans la salle de bains, où la cuisinière avait presque fini le changement de couche, d'une main habituée. Elles sortirent avec la poussette. Le vent frais d'un soir d'automne faisait basculer les faîtes des arbres. Christina s'alluma une cigarette, puis rattrapa Marie-Ange. Elle écoutait le pas des talons de la cuisinière résonner sur le béton. Elle réalisa que la nuit était si silencieuse que son petit frère aussi semblait s'en être attendri.

— Loy a arrêté de pleurer, remarqua Marie-Ange. Elle immobilisa la poussette.

— Tu n'es pas obligée de me défendre, Christina.

— Mes parents sont tellement fatigants.

— Je m'en fous.

Elle caressa les longs cheveux blonds de la jeune femme, les déplaça et les retint sur sa nuque.

— Moi, je ne m'en fous pas, je ne te défends pas, ça ne les regarde pas, déclara Christina.

— Quoi ?

— Ta vie.

— Oh, ça.

— Ils sont vraiment curieux, ils veulent tout savoir de toi.

— Et toi, tu ne l'es pas, curieuse ?

Christina resta surprise. Elle continua à marcher derrière.

— Non.

Elle adressa un sourire à Marie-Ange, qui s'était retournée et l'attendait.

— Non ?

— Non, vraiment pas. Je suis curieuse de rien. Je me fous de tout.

Marie-Ange se remit en marche avec le bébé en haussant les épaules dans sa canadienne.

Christina regarda pendant quelques secondes la cuisinière s'en aller, puis, à grands pas, elle la rejoignit. Elle l'entoura de ses bras, la serra contre elle, la tenant si fort que la poussette avança de quelques tours de roue. Cette façon de dire toujours le contraire de ce qu'elle pense… Marie-Ange murmura quelque chose dans son foulard.

— Tu as peur que mes parents nous voient ?

— Oui, peut-être.

Marie-Ange garda quand même les bras de Christina autour d'elle.

— Tu es tellement jeune, tellement belle. Quand je suis arrivée à votre service, tu n'avais pas encore dix-huit ans.

— Merci de me le rappeler. Franchement…

Ça faisait bien rire Marie-Ange, qui en était quand même un peu traumatisée.

Elles s'embrassèrent sous les feuilles d'automne. Dans la tête de la cuisinière passaient en boucle des phrases effrayantes comme: «Ne m'abandonne pas, ne t'en va jamais.»

: :

Poulet à la congolaise, marmite de viande bouillie, persil, coriandre, thym citronné, cumin, les effluves voltigeaient dans la cuisine. À quelques pâtés de maisons de chez Christina, deux ou trois ruelles sinueuses plus tard, Marie-Ange s'était remise à ses fourneaux pour les commandes de la semaine. Elle froissait son tablier en pensant trop à Christina, en le serrant à pleines poignées. L'envie de tout révéler à son fils, l'envie de tout confier à sa mère qui veillait au ciel, l'envie d'affronter son père, ses tantes, l'envie de tout vivre. Elle savait que Christina portait en elle cette affirmation belliqueuse, quasi démoniaque, et elle en était presque choquée. Une sonnerie la tira de ses réflexions.

— Marie-Ange, souffla Christina au téléphone.

— Quoi?

— Je vais leur dire ce soir.

— Christina, si tu fais ça, je disparais. C'est mon travail! Ce n'est pas bien de m'annoncer de telles choses au téléphone.

— Non mais, juste pour te préparer, ils ont dû s'apercevoir d'un truc au souper, car ma mère m'a sorti: «Marie-Ange est une fille parfaitement incroyable», et là, elle m'a fait ce clin d'œil de lionne espiègle qui veut étrangler un mouton.

— Ça ne prouve rien du tout, Christina.

— Tu n'as pas vu ce regard. Il vaut mieux que je leur dise.

— Parles-en à tes amies, si tu en éprouves l'envie folle.

— Elles sont toutes au courant déjà. Ça fait un an qu'elles savent ce que je ressens, et depuis quelques semaines, elles savent qu'on est ensemble. Elles vont toutes cramer en enfer de jalousie.

— On discute ici de mon gagne-pain.

— Demain, tu pourrais me rejoindre à la bibliothèque, vers dix-huit heures trente.

— Je ne peux pas, mon fils m'attend à la maison.

— Alors à l'heure du dîner, à midi, on s'y rejoint.

— D'accord.

— Je t'aime.

Marie-Ange avait déjà raccroché. Son fils entrait dans la cuisine.

Ce jour-là, à la bibliothèque, Christina portait des espadrilles, un jean serré et une veste de cuir noir souple. Ses longs cheveux de paille défaits tombaient au milieu de son dos. Elle était affalée à une table, son portable ouvert devant elle. Marie-Ange arriva et s'installa contre la fenêtre avec Christina à sa droite, laquelle en profita pour poser une main sur le genou de son amie. Celle-ci passa son bras autour des épaules de Christina, qui continua à lire des nouvelles sur son ordinateur. La cuisinière feuilletait un journal. Elles parlèrent un peu à voix basse quand l'homme assis devant elles les regarda, estomaqué. Une Haïtienne de quarante ans en couple avec une jeune vingtaine, belle telle une présidente de classe, telle une meneuse de claque, ça ne se voyait pas souvent dans ce quartier. Christina détendit son dos et caressa la cuisse de Marie-Ange sous la table, pendant que cette dernière se mettait à jouer naturellement dans les cheveux de sa copine. Tout était calme. L'homme baissa les yeux sur son livre. Marie-Ange ressentait la tension entre elle et l'inconnu jusque dans ses os. Une femme s'arrêta pour les dévisager. Christina et Marie-Ange restèrent placides.

— Tu as vu les nouvelles, écoute, encore un meurtre dans le quartier, indiqua Christina en pointant son écran.

— Mon père était dans la cavalerie, en Haïti. Il a tué des gens. Il ne m'a pas transmis cette passion.

— Regarde ça, «Attaquée à l'aide d'un rasoir, elle riposte à coups de hache». Seigneur. J'ai bien l'impression que, moi aussi, ma mort sera spectaculaire.

— Comme…

— Une balle perdue. Un couteau dans le dos. Un empoisonnement monstrueux. Quelque chose de sauvage.

— Romantique, va… Roméo s'empoisonne et Juliette se poignarde, mais toi, tu veux les deux. La maladie me semble être, pour toi, une avenue plus probable, plus naturelle.

— La sauvagerie est naturelle, je n'y échapperai pas. Tout le monde se déchire dans la nature.

— Tout le monde meurt malade et abandonné dans la jungle, tu veux dire. Les vieux singes sont laissés pour compte, comme des loques pourries.

— C'est toujours mieux que de mourir d'une maladie en gang.

— Moi, j'aimerais bien mourir dans tes bras. Mourir en te tenant la main.

Les élans de tendresse de Marie-Ange serraient le cœur de Christina.

— Essaye de faire ça avant que la balle perdue ne me déchire le thorax.

— Tu es vraiment une belle Antigone.

— Non, pas du tout, répliqua-t-elle, ignorant son sort.

Christina ferma son portable et le rangea dans son sac.

— Je suis tellement écœurée de la vie. On y va? lança-t-elle en se levant.

Elles sortirent, puis Marie-Ange vint contre elle et l'embrassa en promenant ses mains dans ses longs cheveux, pour la première fois en plein jour, devant les passants qui regardèrent puis oublièrent.

— Bonjour, Montréal. Bonjour, la vie.

: :

Christina travaillait dans une serre, dans un coin perdu de Laval. Elle s'occupait de la production des poinsettias, de millions de plants attaqués par le champignon *Botrytis*. Un technicien anglophone l'avait embauchée et elle n'avait absolument rien compris de ses explications, alors qu'elle courait derrière lui en prenant des notes et en essayant de tout retenir. Elle passait la moitié du temps à inspecter les plants et à introduire des insectes prédateurs pour qu'ils mangent les insectes parasites, à arroser les millions de plants au tuyau, dans les petites serres, ou à ouvrir le système d'irrigation dans les nouvelles serres à deux millions de dollars. Surtout à fantasmer sur Marie-Ange.

— C'est pas mal beaucoup d'eau, ça, dans le canal.

— Ouin, t'as ben raison.

— J'espère que t'as compris.

— J'ai tout compris.

— T'as l'air un peu perdue.

— Non, c'est juste que je suis fatiguée.

— Tu te lèves tôt pour être ici à huit heures, hein ?

— À cinq heures et demie. J'aime vraiment ça, par exemple.

— Qu'est-ce que t'aimes ? T'es pas une manuelle.

— J'aime ça.

— T'es une *fucking nerd*.

« J'aime pas quand tu m'insultes, ça me donne envie de vomir, quand tu sacres, ça me donne chaud, quand tu utilises des termes techniques anglais sans me les expliquer, j'ai envie de hurler. J'aime pas tes six pieds deux pouces d'arrogance et de testostérone, ça me donne envie de t'expliquer deux ou trois trucs à propos de ta femme. J'aime les fleurs. J'aime l'intense humidité des serres. Trouver des plants malades, ça me réjouit. Quand le petit collet de la fleur est entouré de pourriture grise et qu'il pendouille dans son pot en étant en train de contaminer tous les plants voisins, c'est fantastique. Les enlever au plus vite, deux par main, pour que tout se passe bien. Éviter la contagion, la contamination. M'engager dans un travail. Car je veux travailler à sauver les autres plants. Être sur la planète des plants. L'incroyable énergie libérée par des millions de petits plants boostés aux hormones. Tout est suramplifié!»

Elle pensa: «Un jour, je vais être prise à arroser dans le vide.» Elle arrosait effectivement dans le vide, elle se cognait aux tables, elle se sculptait des muscles à force de tirer sur les tuyaux d'arrosage vieux de cent mille ans, aussi à force de serrer les vis pour éviter que l'eau ne gicle partout, elle était devenue une véritable femme à tout faire. Des hommes venus du Guatemala travaillaient pour cette entreprise, qui avait essayé les Mexicains et avait conclu au désastre de paresse. Quand Christina arrivait dans les serres, les travailleurs s'arrêtaient, la sifflaient. Elle leur souriait en leur lançant *Buenos días* ou *Hasta pronto*.

L'autre moitié du temps, elle était dans les bureaux et effectuait de la recherche à l'aide de la bible des poinsettias, un ouvrage en anglais. On y apprenait quel engrais choisir, quelle formule magique de potassium utiliser. L'azote, toujours l'azote. Christina remettait même en question les recettes d'engrais utilisées et osait quelques poussées spectaculaires dans le domaine absurde de la recherche et du développement des poinsettias. On était en octobre. Il restait donc deux mois pour engrosser et emballer les fleurs parfaites, puis les catapulter dans tous les supermarchés de Montréal.

Elle rêvait du corps de Marie-Ange, de ses lèvres, de sa voix qui sonnait comme la musique du paradis.

— Nourris-moi ces étoiles de Noël.

— La testostérone des gens me pourrit la vie, avait-elle une fois répondu, hors champ.

Parfois, le technicien, tel un gorille avec des bottes de sécurité, trouvait des mots doux pour décrire leurs fleurs et Christina capitulait.

— Arrose-moi ces fleurs de peau. C'est vrai que les bractées ressemblent à des langues, à des lambeaux de chair. C'est tellement *awesome*.

Christina se forçait à sourire et montait sur les tables pour ouvrir les systèmes d'irrigation avec une perche.

— Câlisse que t'es petite.

Christina obéissait à tout ce qu'on lui demandait, il n'y a pas une seule chose qu'elle n'arrivait pas à faire.

Marie-Ange lui envoyait des messages durant ses quarts de travail et trouvait toujours une nouvelle façon de la divertir.

— Arrête de fucker le chien.

Le technicien lui rabattait la joie. Quand la journée était terminée, elle enfourchait une bicyclette prêtée par les propriétaires des serres et circulait entre les habitacles de plastique blanc, telle une actrice dans le film *E.T.,* jusqu'à arriver à la maison des patrons, une espèce de vieille maison laide, où elle laissait la bicyclette adossée au garage, puis marchait pour rejoindre un autobus qui passait une fois par heure, et après prenait le métro pour revenir à Montréal. Chaque journée était pathétiquement sans fin.

2

CROISSANCE

K : Ça dépend.
P : Ça dépend de quoi ?
K : De ce que j'ai à gagner.

Russell Banks, *Lointain souvenir de la peau*

— Bonjour, madame, ce sont les plats pour la semaine.

— Bonjour, Marie-Ange, entre.

La mère de Christina avait des racines princières ainsi qu'une attitude et des manières à rendre fou. Alors que son père était tout simplement grossier.

— Si c'est pas la belle cuisinière !

— Bonjour, Paul-Henri.

— Toujours aussi belle, on dirait un cadeau de Noël.

— Merci.

— Marie-Ange, une belle femme comme toi, je n'y peux rien. Ça me scie les deux jambes.

— C'est très heureux pour votre femme.

Il devait être le seul à ne pas être au courant de la volonté de Marina de partir, son divorce planait comme une hirondelle immolée et aveugle dans la maison, et

Paul-Henri, impuissant en cette matière, n'y voyait rien, sinon que sa femme ne lui parlait guère plus que par personne interposée et qu'elle n'était plus assidue à l'heure du coucher.

— Je regarde trop les femmes. C'est ce que Dieu a fait de plus beau.

Christina alla au réfrigérateur où était postée Marie-Ange et la toucha furtivement. Marie-Ange la défia du regard. Christina promena sa poitrine dans son dos et attrapa le litre de lait.

— On va faire la liste d'épicerie pour la semaine prochaine, dit Marie-Ange, qui ne pouvait s'empêcher de la dévisager.

— *Why not?*

Elles s'assirent à la table de cuisine. Les parents changèrent de pièce.

— Tu as besoin de quoi pour faire ton griot?…

Christina glissa ses mains dans le chemisier de Marie-Ange et lui arracha un baiser.

— Arrête. Non, je pense que je vais préparer du bouillon haïtien, dit-elle à voix haute pour que tout le monde entende.

Marina entra dans la pièce, Marie-Ange recula sur sa chaise et repoussa sa blonde. Démon.

— Ça va, Marie-Ange?

La mère de Christina avait posé la question sans la regarder, se retenant de la psychanalyser.

— On a tout. Je vous tiens au courant pour la suite.

— Prends ça.

Marina lui remit une liasse de billets, pour les courses et pour son salaire.

— Concocte-nous encore de ce poulet africain à la sauce orangée secrète sur du riz brun, je l'adore.

— Avec plaisir.

Marie-Ange partit faire les commissions.

Le jour suivant, elle appela Christina pour l'inviter à venir la voir chez elle ; c'était une première depuis les quelques semaines qu'elles se fréquentaient.

— Maman, je vais chez Marie-Ange, elle va me montrer à cuisiner le poulet haïtien.

— D'accord.

— Tu t'en fous, quoi, maman ?

— Oui, on s'en balance, répondit son père du salon.

Christina émit un son contraint.

— Regardez comment vous êtes. C'est pitoyable. Qu'est-ce que vous faites encore ensemble ?

— Semblant, rétorqua son père.

Sa mère pouffa de rire. Christina ne l'avait pas entendue rire depuis belle lurette. Son père la regarda d'un œil malicieux, amusé.

— Tu as perdu ton humour vers l'âge de six ans et demi, je me rappelle très bien. C'était juste là, en bas des escaliers.

— Maman, je te parle.

Sa mère riait de plus belle.

— Vous êtes fous ou quoi ? Je ne soupe pas ici, c'est correct ?

— Mais ça va, ma chérie. Moi non plus, je ne soupe pas ici, et je n'en fais pas tout un plat! Paul-Henri, tu as tout ce qu'il te faut, là, c'est prêt à être réchauffé. Bye, ma belle.

Elle embrassa Christina qui était déjà dans le vestibule et prit son manteau elle aussi.

«Ma mère s'en va chez son amant», pensa tout haut Christina.

Elle empoigna le bras de sa mère.

— Tu vas où?

— Ce n'est pas de tes affaires, ma chérie, répondit-elle. Comme tu es contrôlante!

Christina plissa ses yeux. Elle partit dans une autre direction pour ne pas voir l'auto de sa mère tourner au coin et disparaître. Arrivée chez Marie-Ange, elle fut accueillie par un homme: Anthony, six pieds, deux cent vingt livres.

— Allô, dit-il en la voyant.

Marie-Ange se pointa derrière lui. Elle était complètement cachée par son fils. Il ne s'écarta pas. Il prit Christina dans ses bras quand elle passa la porte. Christina regarda sa blonde alors que son fils l'étreignait. Elle pensa qu'il était en train de la renifler.

— Anthony, voici Christina.

— Bonjour, Anthony, dit-elle en tendant la main.

Il lui caressa plutôt l'épaule sous forme de légères tapes.

— Bonjour, répéta-t-il. Je dois être à six heures devant la télé.

— Tu es bien chanceux, commenta Christina.

Le jeune homme marcha vers le salon et se retourna.

— Je dois être à six heures devant la télé.

Il cherchait du regard l'approbation de sa mère. Celle-ci acquiesça.

— Il est six heures, tu peux aller t'asseoir.

— Je peux aller m'asseoir.

Dans un coin du salon, il avait son grand fauteuil inclinable et une quantité monstrueuse de toutous en peluche qui l'entouraient, pour lui faire croire en un monde meilleur. Une immense réplique de Fred Pierrafeu était assise à côté de lui pour regarder la télé. Ils avaient les mêmes grands yeux noirs doux. Anthony, avec sa stature de joueur de basket, réduisait le silence à néant en répétant tout ce que la télé lui disait. Sa manière d'aimer, c'était de répéter, un tigre sans existence sinon dans le mimétisme.

Christina aida Marie-Ange à mettre la table.

Elles s'installèrent après être allées porter du poulet frit et des légumes à Anthony, qui mangea devant la télé.

— C'est habituel?

— Non, habituellement, on mange ensemble à la table. En fait, oui, c'est normal qu'il mange au salon quand il y a de la visite, sinon il ne mangerait pas, il ne ferait que regarder les autres, tel un sphinx.

— Il est vraiment bel homme.

— Ce n'est qu'un enfant.

Elles continuèrent à bavarder. Marie-Ange glissa sa main sur celle de Christina, par-dessus la table, quand le fils fut absorbé dans son émission.

Anthony répéta quelques paroles. Il lança un regard furtif à la cuisine.

— Tu veux quelque chose, mon amour ?

— Je veux quelque chose.

— Tu voudrais du Coca ?

— Je veux du Coca.

— Très bien. J'arrive.

— Comment tu sais qu'il voulait du Coca ?

— Je l'ai tricoté.

— Il aurait pu vouloir du poulet.

— Mais non. En plus, il lui en reste dans son assiette.

— Il aurait pu vouloir du pain, je ne sais pas.

— Non. Les mères devinent tout. Dans sa voix, c'était du Coca. Je ne peux pas te l'expliquer.

— Dans sa voix, c'était du Coca ?

— Oui, dans sa voix. J'ai entendu le Coca.

— L'appel du Coca ?

— Oui, l'appel du Coca. La voix du Coca.

— Putain !

— Oui, c'est ça. Je suis à son service.

— Tu es son esclave plutôt.

— L'esclave de ses volontés.

— Et des miennes.

— Oui. Aussi.

Christina lui caressa le bras jusqu'à son cou.

— Pas ici.

— Ah non, tu crois ?

— Je ne le crois pas, j'en suis certaine.

— Et comment peux-tu en être aussi certaine ?

— Et toi, comment oses-tu ne pas me croire ?

— Tu me fais visiter?

Christina leva le sourcil et finit son verre de vin.

— Tu regardes quoi, Anthony?

Christina alla le voir, s'assit à côté de lui sur une chaise et feuilleta un livre d'images.

— Toi, c'est Christina.

— Oui, moi, c'est Christina. Et toi, je pense bien que tu es le célèbre Anthony. Est-ce que tu joues au basket?

— Je dois trouver mon ballon.

— C'est ça.

Christina lui tapa dans la main, elle augmenta le volume de la télé et se releva.

Marie-Ange lui fit visiter l'appartement. Les deux chambres se trouvaient à l'arrière. La chambre de Marie-Ange s'ouvrait sur une petite cour de béton et de bosquets.

Elle l'invita à entrer dans sa chambre, et aussitôt Christina verrouilla la porte, la colla contre le mur. Elle souleva le chandail de Marie-Ange, força sa brassière pour rejoindre ses gros seins qu'elle empoigna à pleines mains.

Marie-Ange la prit fermement par les cheveux d'une main et, de l'autre, lui caressa vigoureusement les fesses, submergée par le désir.

— Tu dois être fière de toi d'avoir monté le son de la télévision. Tu n'as pas d'allure, je te jure.

— Très fière.

— Non, je ne peux pas. *Rain check,* dit-elle en la repoussant.

Anthony appelait Christina de sa voix grave.

Sa mère sortit, suivie de sa douce qui roulait les yeux.

— Bonsoir, Anthony. On se revoit bientôt.

— On se revoit bientôt.

Christina embrassa la main de Marie-Ange et quitta la demeure, après quoi, Anthony piqua une colère furieuse, une colère telle que Marie-Ange alla s'enfermer dans la salle de bains et qu'il défonça le mur avec son poing.

— On reparlera de tout ça demain. Bonne nuit, mon chéri.

Marie-Ange enveloppa la main d'Anthony d'un sac de glace. Elle sentait sa peine, sa douleur vive qui glace le sang et qui gèle le cerveau.

Le lendemain matin, Marie-Ange téléphona à l'école pour dire qu'Anthony s'était blessé au basket-ball, qu'il allait rater une journée, le temps que ses doigts désenflent.

— Pourquoi tu t'es mis en colère, hier, Anthony ?

— Pourquoi.

— Tu n'aimes pas que j'aie de la visite ?

— De la visite.

— Oui, Christina, c'est une amie à moi.

— Une amie à moi.

— Oui, une amie à moi.

— Une amie à moi.

Il répéta « à moi » en souriant et en se désignant.

— Je dois être à huit heures à l'école.

— Non, pas aujourd'hui, Anthony. Tu as mal à la main.

— Pas aujourd'hui.

Il alla s'asseoir dans le fauteuil, prit le livre d'images que Christina avait touché et le lut trois fois. Il l'apprit par cœur et le récita comme un enfant de chorale.

: :

— Viens, Anthony, on va te montrer ce qu'est un *french kiss*.

Les deux filles lui demandèrent de fermer les yeux. C'était dans un boisé près de l'école. Anthony ferma les yeux, transi de bonheur à l'idée de recevoir un premier baiser d'une fille. Pas n'importe laquelle. Une belle, une intelligente, mais pas trop. Alors qu'il attendait, une des filles prit un peu de terre avec du gazon dans sa main et la lui mit dans la bouche. Anthony ouvrit les yeux, crachota un peu, mais ne perdit pas son demi-sourire excité, malgré la surprise.

— C'est comme ça que les Français embrassent. C'est vrai, hein, Jolianne ?

Il s'essuya la bouche. Les filles riaient à se tordre les reins. Quand un énorme malaise naquit en elles, le cœur d'Anthony était aussi fatigué de les voir rire. Le fait accompli ne plaisait à personne. Le désir était féroce, le résultat était catastrophique pour tout le monde. Les filles partirent, prises d'un mal de ventre épouvantable dû au rire et à la maladie du remords. Anthony retourna à ses cours, en voyant vieillir un peu ses illusions, en se demandant toujours ce qu'était finalement un *french kiss* et si les Français embrassaient vraiment avec de la terre. Il retint l'idée que c'était une sorte de baiser, pas méchant, juste très mauvais. Il n'avait pas nécessairement envie d'en savoir plus. Pourquoi être si entêté à vouloir embrasser, pourquoi en faire toute une histoire ? Pourquoi était-ce indispensable à la vie, pourquoi ce désir de rentrer notre langue dans la bouche d'autrui ? Anthony se le demandait, avec ce goût terreux sur la langue.

« Merde », qu'il se dit intérieurement.

Il finit sa journée et sa mère vint le chercher.

— Ça va ?

— Oui, ça va.

— Tu as bien mangé ?

— Oui.

Le soir venu, Christina était de retour chez Marie-Ange.

— Bonjour, Anthony.

— Allô, Christina.

— As-tu faim ?

— Oui.

Il resta à côté de Marie-Ange qui mettait la table.

— Tu veux t'asseoir avec nous ?

Anthony s'assit près de Christina en soutenant son regard.

Il approcha l'assiette qui était devant lui et mangea.

— Christina, Anthony t'accepte dans la famille maintenant, tu vois, il mange avec nous.

— C'est super.

Il mangea en silence pendant que Christina et Marie-Ange se racontaient leurs journées.

Christina se leva pour se servir du vin et en profita pour embrasser la mère. Marie-Ange la repoussa, Anthony se leva de table.

— *French kiss.*

— Mais non, Anthony.

Anthony s'approcha de Christina pour la serrer.

— Je veux un *french kiss.*

— Non.

Il partit en courant vers sa chambre, bousculant une chaise au passage.

— Mais qu'est-ce qui lui prend ?

— Je te l'ai toujours dit : pas de ça devant mon fils !

— Je croyais que c'était correct.

— Non, je ne pense pas. Tu ferais mieux de rentrer.

Marie-Ange alla voir son fils, qui pleurait dans le lit de sa mère. Il serrait un oreiller.

— Tu sais qu'on t'aime, Anthony.

— Christina.

— Christina est partie maintenant.

— Christina. J'aime Christina. Frenche-la pas.

: :

Les mêmes filles attirèrent Anthony dans le boisé. Il leur montra son pénis, leur donna l'ordre de regarder. Il leur demanda de l'écraser entre deux roches. Ce qu'elles firent. Il pensa que, cette fois, c'est lui qui avait gagné. Le plaisir qu'il en ressentit était si grand, mille fois plus grand que le désagrément d'avoir de la terre dans la bouche. Il alla à ses cours. Il voyait des couples s'embrasser, des filles le regardaient parfois, sa stature et sa musculature étaient si impressionnantes qu'il attirait les regards de celles qui ne connaissaient pas sa déficience. Parfois, des filles le toisaient et, quand il avançait vers elles, d'un pas peu assuré et avec un sourire un peu niais, elles faisaient finalement les grands yeux et se détournaient. Si elles pouvaient ne se rendre compte de rien, ce serait bien parfait. Quand on s'approche des gens qui n'ont pas de retard, on ne se doute de rien, c'est bien ça le drame. Avec Anthony, c'était clair. Et c'était vrai. Il jouait au basketball et réussissait assez bien. Certains gars, surtout des rejetés des gangs, jouaient avec lui. Cela passait le temps, son énergie et sa testostérone. Une danse était organisée dans un collège voisin. Il avait vu l'annonce et il voulait absolument y être pour inviter à danser n'importe quelle fille, lui prendre les fesses dans le noir et l'embrasser. Avant qu'elle ne se rende compte de quelque chose. Sentir son érection contre les cuisses chaudes d'une femme. Il éprouvait ce besoin aussi fort que n'importe quel gars.

Arrivé à la maison, il demanda la permission à sa mère. Christina était là, elle s'était subrepticement plus ou moins installée chez Marie-Ange.

— Je veux aller à la danse.

— Quelle danse ?

— Au collège secondaire d'à côté. Pour le secondaire deux.

— Ils ont quel âge ?

— Treize, quatorze ans.

— Il ne va pas avoir l'air trop vieux ? s'inquiéta Christina.

— Non, ça ira. J'irai te mener à dix-neuf heures et je reviendrai te chercher à vingt et une heures. C'est bien compris ?

— Compris.

— C'est quand ?

— Vendredi.

Le jour de la danse, Marie-Ange déposa Anthony à dix-neuf heures au collège. Il alla s'acheter un Gatorade au comptoir et regarda les filles dans le noir. Il ne connaissait personne. Des filles étaient déjà saoules de mélanges maison d'alcool volé à leurs parents et il les regardait encore plus parce qu'elles riaient fort et qu'elles dansaient comme des tigresses sauvages, se frottant aux gars avec un abandon déloyal. Il s'avança dans la salle et cibla une fille sans garçon au loin. Un premier regard s'échangea. Il lui sourit, elle lui sourit après avoir bu dans une bouteille d'eau remplie d'un liquide rouge. Elle se détourna de son regard insistant et dansa en formant un cercle privé avec deux de ses amies. Quand un slow commença et que toutes cherchaient avidement un cavalier, il alla à sa rencontre, elle acquiesça et l'entoura de ses bras. Elle appuya sa tête contre la poitrine d'Anthony. Ses seins se soulevaient à chaque respiration, il lui faisait un peu d'effet et il le sentait.

— Comment tu t'appelles ?

— Fanny. Et toi ?

— Anthony.

Il se pencha sur son visage et ils s'embrassèrent durant toute la chanson. Leurs langues tournaient, la tête d'Anthony aussi.

Puis elle rejoignit son cercle d'amies. Il la suivit de quelques pas.

— Hé, c'est quoi ton numéro ?

Il était prêt à le retenir par cœur.

— Ce n'est pas la peine, on ne se reverra plus.

Il fit non de la tête et retourna s'appuyer contre le mur. Quand la chanson suivante commença, un gars vint danser contre les fesses de Fanny et Anthony pensa qu'il aurait dû faire ça, et quand le gars glissa une main sous son chandail, Anthony ferma les yeux. La fille riait. Anthony voulait se battre. Mais un vrai *french kiss* sans lendemain, c'était quand même mieux que rien. Anthony marcha tranquillement vers la sortie pour aller attendre sa mère. La fille le regarda assez drôlement, mais personne ne riait, ni elle ni ses amies. De ne pas faire rire de soi, c'était déjà grandiose. Tellement qu'il ne sortirait plus jamais, pour ne pas effacer ce souvenir, le goût des lèvres. Continuer à se rejouer la scène, la salive délivrée par une danse lascive. L'homme qui a embrassé la femme. Un long baiser ressenti comme un jeu dans sa tête, comme un accouplement féroce dans ses boxers. Il a délivré le monde, son monde. Il se sentait comme Batman s'élançant du haut d'un toit. Après avoir parlé avec sa mère et avec Christina et s'être plaint de se faire maltraiter à l'école, sans entrer dans les détails, il alla se brosser les dents, glorieux. Christina, elle, chercha alors à savoir qui étaient ces folles.

— Des noms ?

— Jolianne.

— Quelle année ?

Il crachota le dentifrice.

— Secondaire deux.

Le lundi suivant, Christina finit plus tôt son travail aux serres et alla à la recherche de Jolianne. Elle apostropha un groupe de jeunes filles qui sortait de l'école.

— Vous, vous connaissez une Jolianne en secondaire deux ?

— Ben oui, c'est la grande rousse avec le sac orange sous l'arbre là-bas.

Une autre répondit :

— Celle qui fume.

— Ouais, celle qui fume là-bas, ouach.

— Merci, les filles.

Christina se dirigea vers l'arbre. Les filles commencèrent à se retourner, sauf la grande rousse qui semblait être en train de raconter une histoire invraisemblable, comme l'histoire du pénis d'un garçon attardé.

— Hé, c'est la blonde de la mère du retardé.

— Ouais, c'est elle la lesbienne qui touche l'Haïtienne.

La rousse pivota par curiosité.

Christina lui attrapa la queue-de-cheval et la plaqua par terre en lui écrasant le visage dans le gazon. La fille cria de douleur.

— C'est pas moi, se défendit-elle en essayant de se sortir le nez d'un nid de fourmis. C'est elle, ajouta-t-elle vachement en indiquant une autre fille.

Christina regarda le sac orange posé entre les deux filles assises, puis porta ses yeux sur cette seconde fille qui avait les cheveux rouges, elle s'était peut-être trompée.

— Désolée, dit-elle en relevant la pauvre rousse.

Elle empoigna par le manteau l'autre fille juste avant que celle-ci ne détale et lui fêla un doigt, seulement un, en lui serrant la main dans un sens très précis.

— Ne vous approchez plus jamais d'Anthony, est-ce que c'est clair ? Petite bande de garces, vous devriez avoir honte.

Les filles approuvèrent comme de vrais chiots. Christina partit sans voir les dizaines de regards qui la suivaient et sans entendre les sifflements qui fusaient de part et d'autre du terrain vert, son corps entier avait explosé. Ses jointures étaient mauves et elle sentait les pulsations de son cœur dans sa main endolorie. Pour toute la violence qu'elle avait vue ou subie dans son enfance, toute celle autour du fils de sa blonde, pour toute la violence qui hantait la vie d'Anthony, de goûter à cette hargne lui fit l'effet d'un froid insondable, où tout était réduit en miettes. En fait, ses gestes avaient même été parfaitement contrôlés, enrobés d'une certaine attention. Devenir Anthony en blessant la fille, la fille manipulatrice, profiteuse, sadique, interprétée par de jeunes adolescentes plus ou moins niaiseuses. Des plaintes furent déposées contre elle par les parents des filles qui avaient réussi à la retrouver. Elle expliqua la violence de l'intimidation exercée contre Anthony et finalement eut à payer quelques frais pour une déchirure de manteau, sans plus. La grenade avait explosé. Elle se mit à arpenter les alentours de l'école d'Anthony quand elle ne travaillait pas, le capuchon de son coton ouaté sur la tête, à croiser le regard de certaines filles. Parfois, elle voyait Anthony seul dans un coin de la cour, avec ceux qui avaient besoin d'une éducation adaptée, parfois il jouait au ballon-chasseur ou au basket avec eux. Elle regardait Anthony qui scrutait les filles au loin, très loin. L'envie des filles, comme elle-même en avait toujours eu envie. Et ces regards des adolescentes qui la défiaient n'étaient jamais aussi sérieux que le regard de Marie-Ange et de son fils devenu intouchable. Jamais elle ne baissa les yeux.

Marie-Ange était dévastée par le fait que sa copine avait brutalisé une fille.

— Je vais être directe, je n'apprécie pas ce que tu as fait.

— Il fallait que quelqu'un s'en charge.

— Je ne suis pas hypocrite.

— Pas du tout.

— Alors, je vais te le dire.

— Oui.

— Il vaudrait mieux qu'on s'éloigne.

— Quoi?

— C'est dangereux pour Anthony. Les filles vont revenir. Les filles, ça n'oublie rien. Jamais. Les putains de filles. Désolée. C'est trop pour moi.

3

DÉGÉNÉRESCENCE

Gone, O gentle heart and true,
Friend of hopes foregone,
Hopes and hopeful days with you
Gone?
[...]
Change, that makes of new things old,
Leaves one old thing new;
Love which promised truth, and told
True

Algernon Charles Swinburne,
A Dead Friend

En ce matin de merde, après que Christina eut appelé trente-huit fois Marie-Ange sans obtenir de réponse, elle arriva au travail à huit heures trente et la propriétaire l'attendait avec le technicien, comme d'habitude, pour lui donner le programme de la journée.

— Tu vas photographier les différents plants matures qui présentent des problèmes de rouille sur les feuilles.

Christina connaissait parfaitement ce champignon pour l'avoir étudié dans sa technique d'horticulture.

— Très bien.

Elle prit l'appareil avec la joie d'un enfant à Noël.

— Et puis tu procéderas à l'arrosage des serres B-2 et B-3.

— C'est écrit sur les serres, leurs noms, n'est-ce pas?…

— Ben oui.

— C'est beau.

Christina marcha avec la patronne vers la salle à manger à l'étage où elle accrocha son manteau d'automne et son sac. Elle salua le fils des patrons qui traînait par là, François, qui la salua avec enthousiasme et un sourire timide. Il la trouvait à son goût. La mère s'approcha de Christina, alors que François descendait les marches en sifflant, et dit:

— Tu devrais venir vivre à Laval, ça serait vraiment plus proche pour toi. Tu pourrais même habiter chez nous!

Christina n'avait vraiment pas vu cela arriver et se dit, à ce moment-là, que son travail était apprécié, cela la fit frissonner de bonheur. En même temps, elle n'avait aucune envie de s'éloigner de sa copine, même et surtout en chicane.

— J'apprécie vraiment l'invitation, mais ça ne sera pas possible. Je vais faire de mon mieux pour arriver toujours à huit heures.

— Dommage. Est-ce que c'est parce que tu es en couple?

Et voilà le fond de l'histoire. Elle voulait vraiment la *matcher* avec son fils, l'embarquer dans l'entreprise familiale et ainsi l'exploiter, lui sucer le sang par la

culpabilité et l'obligation qui vient avec le travail fami-
lial, surtout en milieu serricole.

— Oui, répondit Christina, incrédule.

— Tu habites avec ton copain?

— C'est une copine.

Silence de mort. Double silence traversé de mis-
siles extraterrestres, de cris du cœur et de dents qui
se serraient, de raclements de gorge et de patinage de
vitesse.

— Ah bon.

La patronne ne trouva rien à dire. Elle quitta même
la pièce, pressée sûrement de téléphoner à toute la
famille. Elle voyait en Christina la relève des poinsettias, la blonde de son fils, la bonne technicienne en
horticulture mariée à son garçon, les deux travaillant
ensemble des cinquante-cinq heures par semaine,
dans le bonheur jouissif de contribuer à l'expansion
et à l'enrichissement de la famille G. Tout venait de
s'écrouler. Christina perçut évidemment la pointe du
malaise, elle qui était habituée de dire la vérité à quiconque demandait sa situation matrimoniale.

Elle fit sa journée, une grosse journée de travail, et
de manque de Marie-Ange.

— À demain.

Dans la salle de séjour, ni l'oncle ni le fils ne lui
dirent plus qu'« au revoir ». Le lendemain, elle arriva à
bonne heure, essoufflée par le vent automnal, trouvant
les serres magnifiques dans leurs habits blancs plasti-
fiés. C'était chaque fois comme pénétrer un nouveau
monde. La respiration des poinsettias lui faisait du

bien. Le technicien se montra ultra bête ce matin-là avec elle. Elle reçut quelques directives. Elle fit sa journée, une dure journée d'arrosage et de détection des parasites. Elle rigola avec quelques travailleurs, étrangers au drame qui se jouait. Elle tenta de retrouver un semblant de dignité.

— Ça sent les burritos.

Elle passa devant la patronne, alla au bureau remplir les dossiers Excel sur l'évolution de la colonie de thrips dans les serres, cet insecte ravageur piqueur-suceur qui allait tellement bien avec la famille G. Elle avait soigneusement compté sur chaque piège collant tous les insectes nuisibles, elle qui en était devenue presque une spécialiste après avoir fait un stage en phytoprotection à la fin de sa technique. Elle entrait donc l'ensemble des données dans l'ordinateur. Elle lut même la bible des poinsettias et découvrit le rôle du cuivre dans l'engrais de ces fleurs et se rappela que le technicien se questionnait sur la présence d'autant de rouille sur les feuilles. Elle fit part de ses réflexions au technicien, qui parut entendre la révélation du siècle. Évidemment, la recette exacte de l'engrais était inconnue de tous, sauf du technicien en chef, qui ne voulait pas la révéler, par peur de trahison. Mais l'intérêt et la passion de Christina semblèrent émouvoir l'homme, qui lui tourna le dos plus rapidement que d'habitude et lui dit «bye» avec une tristesse dans la voix. La journée se termina ainsi. Elle alla dans la salle à manger et prit son manteau. Elle entendit des pas lents dans les escaliers. La patronne s'approcha d'elle.

— Peux-tu arriver à sept heures comme tout le monde, le matin ?

Christina devint rouge de gêne.

— Mon Dieu, il faudrait que je parte à cinq heures de chez moi, c'est vraiment très tôt. Me lever tous les matins à trois heures quarante-cinq…

Elle ne dit pas non, mais l'insinua clairement, incapable de le lui dire, ne voulant pas trahir, par le fait même, son envie de travail. La patronne savait que Christina ne pouvait pas le faire, que c'était irrecevable dans ces conditions, que c'était lui demander l'impossible.

— Je pense que ça va s'arrêter là.

Elle lui tendit son chèque pour les deux semaines de travail. Le chèque était déjà signé, prêt à être donné, prémédité.

« Parce que tu ne peux pas sortir avec mon fils. »

C'était le message désespéré que Christina pouvait lire dans les yeux de la patronne. Elle fixa son chèque, le regard embué. Elle s'était tellement donnée, avait tellement appris, s'était levée tellement tôt et arrivait chez elle tellement tard pour accomplir ce travail.

— Je sais que tu aimais ce travail, et on te donnera toujours d'excellentes références.

La patronne avait les yeux humides, elle aussi. Quelque chose de profondément aveuglant les liait. Christina ne sut que dire. Elle partit. Elle se rendit compte qu'elle avait laissé ses gants dans une serre, elle alla donc, une dernière fois, sur son lieu de travail chéri. Elle regarda une dernière fois ses petits plants de quelques semaines, de quelques centimètres de haut, quelques bractées bien colorées, tellement fragiles. Elle s'imagina se mettre à courir sur les tables et saccager la production. Que ce serait bon! Mais un respect des plantes et une quasi-absence d'intérêt pour la vengeance, comme quoi elle n'était pas si mauvaise, l'en empêchèrent. Cependant, à la plus petite échelle du mal, elle aperçut des plants malades, pleins de *Botrytis* au collet, qui lui faisaient de l'œil. Elle grimpa sur les étagères de bois pour aller les chercher et les retirer de la production, puis, les pots en main, en pleine conscience, elle les secoua vigoureusement pour que les spores des microchampignons aillent coloniser les autres poinsettias de Noël. Elle regarda la petite fourrure maléfique s'envoler et se déposer sur le terreau des autres plants, puis plaça les poinsettias malades au milieu des plants sains. *Rebel with a cause*. C'était un peu comme cracher dans la face de sa patronne et lui étaler le crachat partout dans le visage, en prenant soin de lui rentrer sa déglutition dans la bouche. Cela lui apporta un léger soulagement. Elle pensa retourner dans le bureau et effacer tous les dossiers Excel qu'elle avait réalisés pour eux la veille, mais elle songea au chèque qui était dans son sac et se dit: «Vraiment, j'ai été payée pour ces tâches. Ils n'ont pas déchiré mon chèque, je ne vais pas détruire tout mon travail bien fait.»

Elle prit le temps de revenir à pied des serres, de les longer, de regarder le soleil se coucher. Elle pensa à sa journée avec le technicien, il savait pour son renvoi et avait joué l'hypocrite : «Allez, exécute le travail, et on va t'achever après.» Elle avait tellement mal. Elle effectua le trajet d'autobus pour la dernière fois, complètement atrophiée et amorphe. Assise dans le métro, elle avait l'air d'un zombie. Son cœur était dans les serres, dans ce travail. Elle avait vraiment adoré ce boulot, elle y était compétente, inventive, investie. L'investissement qui se fait tromper, c'est ça qui heurte le plus. Elle ne pouvait pas croire qu'elle ne reverrait plus jamais ces serres, les six vieilles et les deux nouvelles. Elle savait qu'ils allaient la remplacer par quelqu'un qui pourrait prioritairement, et impérativement, épouser le fils des serres. Un homme dans le métro la regardait se décomposer. Il voulait la sauver du regard. Il voulait la serrer dans ses bras. Il assistait à l'un de ces moments d'intime écroulement, de déprime sans fond, en public. Boycottage des poinsettias pour toujours.

: :

— Papa, maman, vous savez que je suis gaie, n'est-ce pas ?

— Mais bien sûr, petite canaille, répondit sa mère. D'ailleurs, j'ai toujours voulu que tu deviennes dentiste, et tu ne l'es pas devenue, alors à partir de ce moment-là, j'ai su. Plus rien ne m'estomaque. Et depuis que nous t'avons vue pleurer dans les escaliers après l'appel de cette fille, nous avons compris. Tu avais le cœur brisé. Ç'a duré plusieurs jours. Pauvre cocotte… Je pense que je n'ai jamais autant aimé, enfin, je ne peux pas m'imaginer avoir autant de peine pour un homme.

Le père rit aux éclats.

— Oui, tu sais, maman, je m'en souviens très bien.

— Ça fait toujours aussi mal d'y penser ?

— Selon toi ?

— Ne t'inquiète pas, tu peux aimer qui tu veux. Je suis là. C'est peut-être juste une passe ?

— Non, ce n'est pas une passe.

— Bon, je n'aurai pas de petits-enfants.

Elle disait vraiment à voix haute tout ce qu'elle pensait.

— Mais oui, je peux me faire inséminer.

Sa mère la regarda, affolée. C'était trop d'informations. Elle vint la prendre dans ses bras.

Christina ne raffolait pas des épanchements, mais profita quand même de cette douceur maternelle. Le père ne disait rien, ne pensait rien de ce sujet, avoir une fille gaie était le dernier de ses soucis.

— Alors, tu nous la présenteras, ta douce, un jour, celle qui te rend si gentille depuis quelques semaines, dit sa mère.

Son père regardait fixement le papier peint de la cuisine.

— Papa, ça va ?

— Oui, je le savais, ma chérie, que tu étais gaie. Je me disais juste que tu étais trop conne pour être heureuse.

Christina appela Marie-Ange pour lui dire qu'elle devait lui parler de quelque chose d'urgent, même si elles étaient en chicane. Et qu'elle avait perdu sa *job*, bref, qu'elle se sentait angoissée et qu'elle devait la voir. Elle se rua chez elle et se coucha dans le lit de Marie-Ange, à ses côtés.

— Je ne sais pas ce que va devenir ma vie. Je pourrais t'aider à couper des légumes.

— Tu veux que je brûle tous mes plats?

— Il y a de ça.

Marie-Ange tentait de lire sa revue *Vogue*, elle éloigna les pages au bout de ses bras.

— Je commence à avoir besoin de lunettes de lecture.

— À quel point c'est mignon. On ira à la pharmacie t'en chercher.

— Ce n'est pas mignon, Christina, je vieillis.

— On s'oxyde tous, chaque respiration nous rapproche du purin.

— Bientôt, je ne te reconnaîtrai plus. Je ne vois plus rien.

— Et tu seras tellement ridée que je ne te reconnaîtrai plus, moi non plus, on sera quittes.

Marie-Ange rit de son rire amoureux.

— Mes parents savaient que je suis gaie. J'ai juste confirmé avec eux, hier.

Le soleil inondait la chambre à coucher et traçait un rectangle de lumière sur le corps de Christina.

Marie-Ange referma sa revue sur ses seins.

— Tu confirmes, comme confirmer une réservation au restaurant, c'est ça?

— C'est ça. Exactement. Et ils savent que j'ai une blonde et ils veulent la rencontrer.

— O.K. Non.

— Tu n'as pas à garder ma famille comme employeur, tu en as plusieurs autres.

— Non, ta famille est mon principal employeur, j'ai d'autres familles, mais chaque famille est importante. On ne se crée pas un réseau de distribution de repas comme ça, si facilement, Christina, on n'arrive pas chez les gens par un beau matin d'hiver en leur proposant de leur faire à manger, c'est du bouche-à-oreille, et pour l'instant, il n'y a pas de bouche ni d'oreille. Donc, j'ai besoin de ce travail. Ils ne doivent pas savoir qu'on sort ensemble.

Christina rabattit la couverture sur elle.

— C'est définitif, Christina.

— Ça va, là, arrête.

Les larmes montèrent aux yeux de Christina.

— Pourquoi es-tu juste si épouvantable parfois?

— Tu ne sais pas ce que c'est. Je te jure.

— Et s'ils acceptaient notre relation? Tu ne sais pas, toi.

— Quoi? Mais comment veux-tu qu'ils puissent manger mes plats après? Ils ne peuvent pas, ils ne pourraient pas manger de ces plats. *Well,* moi, je ne pourrais pas.

— Mon Dieu, tu t'entends parler?

— Quoi?

— Qu'est-ce que tu dirais si Antony était gai? S'il passait ses récréations à sucer ses coéquipiers de basket?

— Quoi?

— T'es pathétique, Marie-Ange.

— T'es vraiment dégueulasse.

— Regarde-toi, pire que tous ces salauds d'homophobes.

— Sors de chez moi.

— Moi, je ne mangerais pas de ta sale bouffe d'homophobe.

— O.K., là, la différence d'âge paraît vraiment. Va-t'en.

: :

On ne peut pas dire que Christina avait arrangé les choses. La semaine passa, sans nouvelles échangées entre elle et Marie-Ange. Elle vit ses amis, tenta d'avoir des conversations décentes, ne pensa à rien d'autre qu'à Marie-Ange et à ses peurs. Marie-Ange ne vint pas à la maison cette semaine-là.

— On commande du chinois?

Son père se fit un devoir de commander tous les soirs. Sa mère déserta pendant quelques jours. Christina se retrouva seule avec son père à manger du riz et des côtes de porc.

— Ça me manque, la bouffe de Marie-Ange.

— Papa, tu n'as pas d'autres choses à dire?

— Elle est malade?

— Je sais-tu, moi…

— Hé!

Christina était tellement enragée qu'on pouvait se demander si elle pleurait ou non.

— Non, mais, je m'en fous-tu, de la cuisine…

— Qu'est-ce que tu as ?

— Je dois juste me trouver un autre travail et ça me fait chier, c'est tout. Putain de patronne de merde, même pas deux semaines et je dois me trouver autre chose maintenant. Et l'hiver arrive.

— Tu ne verras pas un crisse de poinsettia dans notre maison. Jamais. J'ai même sorti un plant de son pot de terre, à l'épicerie, l'autre fois, juste pour le *fun*.

— T'es fin.

— Répète ça ?

— C'est beau, là. Lâche-moi.

Elle se leva, ramassa son assiette et partit en ayant en tête d'aller harceler Marie-Ange.

— Tu fais quoi ? Ça va, là, une semaine à bouder.

Christina cognait dans la porte de Marie-Ange avec son pied.

L'Haïtienne vint ouvrir, entrebâilla la porte.

— Qu'est-ce que tu fous, ça dure depuis une semaine, ça suffit ! Parle-moi !

— Ce n'est pas le bon moment, là, pour me faire une scène, Sarah Bernhardt.

— Pourquoi ?

Christina poussa la porte.

Anthony regardait la télé.

Une femme noire aux cheveux courts était assise à la table de la cuisine, un verre de vin posé devant elle et des livres, des cadeaux déballés sur la table. Une valise était ouverte dans le hall.

— Je reçois une amie pour la semaine.

— C'est pas Edwidge, ton petit nom, toi, par hasard? demanda Christina à la femme.

— Edwidge Blackbean.

Elle se leva en lui tendant la main.

— Blackbean de la grande lignée des fèves noires américaines. De la grande lignée des ex de Marie-Ange. Ton ex vient dormir chez toi? Ah ben, regarde-moi donc ça!

— Joy, je peux trouver un hôtel.

— Non.

— *Yes, I can.*

Elle se leva de table.

— Blackbean.

Christina ricana.

— Marie-Ange Joie-Joy, franchement, vous vous appelez vraiment par vos noms de famille? C'est *cute*, ça.

Marie-Ange se tourna vers Christina.

— Elle arrive de Toronto.

— Je m'en câlisse-tu d'où elle arrive, la fève noire, je veux qu'elle décrisse. T'as même pas de chambre d'amis!

— Elle va prendre le sofa.

— C'est Christina, dit Anthony en regardant la télé et en frappant dans ses mains. Je t'ai écrit un poème.

Elle entra et alla voir Anthony. Il lui sortit une peinture avec des mots comme «arc-en-ciel» et «licorne».

— C'est très beau, Anthony. Merci. Tu es vraiment gentil.

— C'est très beau. Mais j'ai pas fini.

— Tu auras le temps de le terminer, Anthony, lui dit-elle en lui prenant la main. Parce que moi, c'est fini.

Elle partit.

— Christina.

Marie-Ange l'attrapa par le bras.

— C'est pas ce que tu penses. Écoute-moi, supplia-t-elle.

— Appelle-moi pas après votre lune de miel.

Ses yeux brûlaient pendant qu'elle marchait dans la rue. Elle s'alluma une cigarette en imaginant Edwidge coller Marie-Ange, dans son petit costume de tweed anglais attaché jusqu'au menton. Et l'étouffer.

Elle prit son cellulaire en se disant qu'elle était nouvellement du genre à se venger. Elle passa en revue ses contacts sur son téléphone. Elle décida d'appeler Érika, de qui elle avait toujours refusé les avances, une petite brune voluptueuse, une connaissance. Elle lui donna rendez-vous dans un bar, but une pinte de bière avec elle, l'emmena dans les toilettes et la rentra dans un mur pour lui manifester son urgence. Christina s'attarda dans le cou d'Érika, où elle trouva une délicieuse odeur qu'elle n'avait pas vue venir, peut-être un parfum d'homme, elle l'embrassa du cou jusqu'aux lèvres.

Elles restèrent adossées à la porte des toilettes, chancelantes.

Elles détachèrent leur pantalon en même temps.

— J'ai toujours voulu ça, dit Érika, la main agrippée dans les cheveux blonds.

— Moi aussi, enfin je crois, murmura Christina.

Pouvaient-elles s'offrir des escapades, elle et Marie-Ange, comme un couple qui aurait une entente mutuelle, harmonieuse, et aller voir ailleurs ?

— Ça voudrait dire quoi si…, commença Érika.

Christina l'interrompit.

— Si quoi ? Si on baisait ? Rien de plus, rien de moins.

Marie-Ange clignotait dans sa tête.

— Comment ça va à l'université, à part ça ? lança-t-elle en reboutonnant son jean.

— Hé…

— Je suis désolée. Je ne peux pas. Je te paye un pichet ? Tu peux appeler quelqu'un pour qu'il le boive avec toi.

C'était imbécile, mais l'escapade conjugale était impossible.

: :

As-tu fini de fourrer avec Edwidge ? Parce que moi, j'ai fini avec Érika.

Je vais t'écrire tout le temps si tu ne me réponds pas.

Christina envoyait des textos à Marie-Ange, des centaines par jour. Sans réponse.

Puis vint un appel inattendu alors qu'il faisait à peine jour.

— T'as fini tes conneries, là ?

— Marie-Ange…

— Écoute-moi, Christina. Viens habiter chez moi. Tu peux déménager chez moi, ça serait l'idéal.

Elle entendait Edwidge parler tout bas à côté d'elle.

— Je sais… Bon, pour l'instant, amène-toi.

— Je t'aime tellement, murmura Christina.

— Viens tout de suite.

Christina prépara un café et alla l'offrir à sa mère au lit.

— Papa, maman, je pars, je déménage.

Le couple dormait ensemble, malgré le divorce imminent.

— Woho…

Son père se frotta les yeux.

Sa mère prit le café.

— Il était temps, dit son père.

Il lui sourit.

Sa mère lui demanda où.

— Je ne sais pas comment vous dire ça. Marie-Ange m'engage comme aide-cuisinière et je vais rester chez elle, question de mieux apprendre.

— Avec son fils?

— Ben oui, là, avec son fils. O.K., bye, bonne journée. Si vous trouvez des boîtes de carton, mettez-les-moi de côté.

— Eh bien, vas-y, prononça sa mère, dans une mollesse surprenante.

Le père ouvrit le rideau et retourna sous les couvertures. La mère déposa son café sur la table de chevet, et le regard qu'elle adressa à son mari valait tout l'or du monde. Ils passèrent la journée au lit, mais divorcèrent quand même dans les semaines suivantes. Rien n'arrête un train qui fonce.

— Allô.
— Allô.
— Allô.
— Bon matin.

Christina embrassa Marie-Ange dans le cadre de porte.

Elle vit Edwidge qui les regardait.

— Qu'est-ce que ça veut dire? C'est une bière qu'elle boit?

— Il n'est pas midi? Il est midi. C'est un verre de midi! Il y a un verre pour toute chose. Et il est certainement dix-sept heures quelque part sur terre, déclara Edwidge avec son accent anglais.

Elle avait une assurance qui éblouissait Christina et elle lui parut être une menace encore plus grande. Elle portait un pantalon droit et une chemise blanche repassée, ainsi que des souliers vernis style danse classique qui lui faisaient de tout petits pieds. Une veste de tweed bleu marine, une veste qui pouvait sembler être celle d'un uniforme d'officier, était accrochée au dossier de sa chaise. Marie-Ange répondit par un son. Edwidge lui fit un son. Elles se comprenaient à demi-mot. Elles se parlaient par sons, par monosyllabes. Voilà. Quand une ex débarque, il y a de ces codes mystérieux qui rappliquent. L'amour fait du passé une musique, celle-là glaçait le sang de Christina.

Edwidge prit une longue gorgée de sa Molson Dry.

— Je rêve. Tu ne l'as pas foutue à l'hôtel. Oui, foutue, comme foutre une guenille à la poubelle.

— Non, elle reste une autre semaine. Préparons ton déménagement quand même.

— Anthony ne va pas à l'école? demanda Christina, amère.

En entendant son nom, Anthony se retourna du sofa, un bol de croustilles sur les genoux. Son visage était tuméfié à gauche, un œil au beurre noir.

— Il s'est fait frapper sur le chemin du retour.

— Par une de ces salopes de l'autre fois?

— Non, par des gars.

Christina alla s'asseoir près d'Anthony.

— Tu les as vus?

— Non.

— Rien?

— Rien.

— On va les trouver, ne t'inquiète pas. J'irai te mener à l'école, tu verras.

— Christina.

Anthony prit sa main. Elle la retira et se leva.

— Combien de temps elle va rester, celle-là, tu dis une semaine?

— Tu vas parler de moi à la troisième personne?

— Tout à fait.

— Ma sœur est morte, donc le temps ne m'importe plus.

— Comment ça, « morte »? Morte morte?

Marie-Ange lui fit un geste pour lui signifier que la mort n'a pas de nuance, comme s'il fallait toujours tout expliquer à Christina. Elle répondit :

— Elle s'est fait assassiner. À Brooklyn, où elle vivait. Par son mari.

Edwidge fixait sa bouteille et décolla l'étiquette.

Christina s'assit.

— Par son mari ? Je suis désolée. Les meurtres, ça ne pardonne pas. Bien au contraire.

Elle prononça cette phrase en regardant entre les deux femmes.

— J'avais besoin de voir Marie-Ange, dit Blackbean.

— Je te comprends.

— Je vais prendre une douche.

Elle se leva en titubant un peu. Christina se rendit compte qu'elle n'en était pas à sa première bière, qu'elle était déjà passablement saoule.

— Je crois que je vais faire une sieste après.

— Oui, une sieste te fera du bien.

— Anthony, va dans ta chambre.

Edwidge alla à la salle de bains.

Anthony se leva et fonça voir Christina, et il s'arrêta pour la dévisager de haut. Il alla à sa chambre et ferma la porte.

Christina prit le verre de jus d'orange qui était posé près de Marie-Ange.

— C'est à toi, ça ?

— Oui.

Elle but une rasade et s'étouffa.

— Il y a du fort là-dedans.

— Oh, alors c'est le jus d'orange d'Edwidge.

— Elle est alcoolo grave?

Christina avait murmuré.

— Elle a toujours beaucoup bu. Mais là, ça semble pire. Je ne sais pas si elle va tenir jusqu'au soir, je voulais lui présenter des amies, Debbie et Laurence.

C'étaient les amies les plus précieuses de Marie-Ange. Christina les avait rencontrées à quelques reprises dans des soirées très amusantes, dans des clubs gais, ou bien dans des restaurants où elles pouvaient s'enfiler une bouteille après l'autre, du repas du midi au repas du soir.

Edwidge semblait vraiment s'être remise de son alcool après sa sieste et était prête à aller souper, quand Christina et Marie-Ange se servaient un premier verre de vin. Edwidge tendit la main en cherchant le sien et Marie-Ange lui en servit un fond qu'elle fit tourner pour lui donner une profondeur et un semblant de grandeur. Elle n'avait jamais aimé la consommation excessive de son ex, mais avait cru que cela changerait.

Edwidge marmonna quelques sacres en anglais et se servit elle-même un grand verre de vin, jusqu'à ras bord, et prit sa première gorgée en sifflant bruyamment.

— *Fuck, this is good.*

Elle tourna les talons.

— *Where is my little Tony boy?*

Elle partit voir Anthony dans sa chambre.

On entendit un cri rauque, puis quelques rires. Edwidge sortit avec un air absolument traumatisé sur le visage. Christina fumait à l'extérieur.

— Tu as vu ce que fait Anthony?

— Quoi?

— Il a des photos de vous. Il a des photos de vous sur son ordinateur, enfin des photos de Christina. Je pense que c'étaient ses fesses. *Well, yes,* c'étaient pas les tiennes.

— Qu'est-ce que tu racontes?

— Je l'ai poussé et j'ai tout effacé.

— Ne dis rien à Christina.

— *Are you crazy?* Elle ne viendra jamais habiter avec toi si elle l'apprend.

— Je veux qu'elle vienne, mais ce n'est peut-être pas une bonne idée.

— Vu ton *background.*

— Exactement.

Christina rentra dans l'appartement.

— Quelle tête vous faites!

— On y va?

Edwidge était venue à Montréal en vieille décapotable verte rouillée et bruyante, le toit de toile blanche était brisé, coincé à moitié dans les airs, elle se prenait toutes les averses sur la tête. Elle travaillait dans une galerie d'art et son travail avait déjà péri dans un incendie. Elle n'arrivait plus à peindre depuis cet incendie à Montréal alors qu'elle habitait avec Marie-Ange. En plus d'avoir perdu sa sœur, elle traversait une suite inachevée d'épreuves épouvantables depuis qu'elle habitait aux États-Unis. *American* karma.

Christina, Edwidge et Marie-Ange prirent le taxi pour se rendre au centre-ville.

Elles entamèrent une première bouteille de vin au bar en attendant les deux amies.

— C'était quoi, cet incendie ?

Christina demanda ça à brûle-pourpoint à Edwidge, qui se versait verre sur verre.

— Marie-Ange a essayé de me tuer.

Christina regarda Marie-Ange.

— C'est vrai, lui répondit celle-ci. Manifestement, ça n'a pas fonctionné. On avait bu, il y avait ce produit pour nettoyer les pinceaux et ma cigarette que j'avais déposée, je croyais, dans un cendrier, mais non, elle devait être tombée sur le sofa ou dans la térébenthine.

— *We'll never know.*

— Non, on ne sait pas, et puis on a bataillé et la chambre s'en est mêlée et a pris feu.

— Vraiment, tu n'es pas bonne. Tu m'as complètement loupée.

Edwidge ricana et Marie-Ange lui sourit et tapota la main de sa blonde, voulant la rassurer, mais ce tapotement déplut à Christina, qui se débattit et commanda une nouvelle bouteille du même vin. Elle tenait très bien le vin, ce soir-là, et s'en félicita. L'Haïtienne dégageait un humanisme si aimant, Christina ne pouvait pas croire ce qu'elle entendait. Quand, illuminée par ses cheveux blonds et son jean moulant, elle se déplaça vers les toilettes, des têtes se tournèrent, Marie-Ange le remarquait tout le temps, et son désir pour sa compagne était intuable. Elle sortait avec une vraie petite meneuse de claque de vingt ans et elle en était consciente. Même Edwidge loucha vers elle.

— T'es folle.

— L'amour.

— Oh ça, c'est du joli.

Debbie et Laurence arrivèrent et s'attablèrent avec les filles. Debbie était une petite femme au début de la cinquantaine portant les cheveux gris-blond très courts, avait des troubles obsessionnels-compulsifs, comme se laver les mains, et adorait se conduire en gentleman et ouvrir les portes aux autres femmes. Elle travaillait dans le juridique. La femme qui l'accompagnait, Laurence, une vraie madone, grande brune avec de magnifiques yeux bleus, portait talons aiguilles et robe, semblait toujours sur son trente et un et travaillait dans la restauration pour des traiteurs. Elle était chaste et ne se disait attirée par rien du tout. La vie de Debbie était foutue depuis qu'elle l'avait rencontrée. Debbie en était folle depuis le début et elles se promenaient toujours ensemble. Debbie et Marie-Ange avaient été en couple longtemps auparavant. Christina avait même trouvé une lettre de Noël que Debbie lui avait envoyée, contenant une photo d'elle nue avec sa belle chevelure ondulée blonde d'antan, cela avait provoqué une vraie crise de jalousie. Pourtant la lettre datait de dix ans. Marie-Ange l'avait alors obligée à accepter qu'elle ait eu nombre de maîtresses avant elle. Christina se devait de le faire et avait décidé que, si Marie-Ange n'était pas sa première aventure, elle était la seule qu'elle avait aimée et qu'elle aimerait jamais. Elle en était malade de jalousie, et chaque fois qu'elles voyaient Debbie dans un souper, elle était prise de folie dans les jours qui suivaient, épiait le téléphone de Marie-Ange ou écoutait ses conversations.

Debbie semblait si contente de sortir de chez elle, pour échapper à ses démons et à ses manies, qu'elle enfilait les gins et les scotchs J&B. Laurence croisait et décroisait ses jambes sous le regard de plusieurs femmes, elle s'amusait bien avec Christina et semblait avoir le même âge qu'elle. Personne ne soulignait la différence d'âge du couple Marie-Ange–Christina, et c'était probablement à cause de leur différente couleur de peau qu'elles ne se faisaient pas demander : « C'est votre mère ? », car, sinon, on leur aurait posé la question plus souvent, à l'épicerie, à l'hôpital, au magasin de chaussures, partout.

Marie-Ange buvait moins pour rester présentable devant ses amies, surtout qu'elle avait promis à Debbie qu'elle pourrait montrer ses œuvres à Edwidge, elle qui avait une passion folle pour l'aquarelle. Marie-Ange la poussa à sortir ses dessins et chacune y alla de ses commentaires. Debbie voulait l'avis sérieux d'une collectionneuse, et Edwidge, en temps normal, avait l'éloquence pour parler des œuvres, même en français. Quand elle n'était pas complètement bourrée.

— Je me la ferais bien, celle-là. Ce n'est pas comme d'habitude.

— Laquelle?

Marie-Ange, dans sa veste sportive en vinyle qui faisait du bruit, chercha du regard celle qui plaisait à son ex.

Du menton, elle désigna une gentille brune qui parlait avec un garçon au bar.

— Tu ne l'as même pas vue de face.

— *I adore her.* J'aime son rire.

— Mais alors, va lui parler, bon sang.

Edwidge reboutonna le col de sa chemise et se repeigna avec le bout des doigts. Ses grands yeux noirs pétillaient, elle plongea le nez dans son verre et le mordit de toutes ses dents blanches en souriant.

— Comment vous vous êtes rencontrées?

— Qui? demanda Christina.

— Vous deux.

— Elle m'a dit: «Prends-les dans tes mains.»

— Bon sang!

Marie-Ange, prude, se sentit dépérir.

— Seigneur!

— Non, ça s'est vraiment passé comme ça, continua Christina. Marie-Ange m'a dit de prendre les haricots dans mes mains. Voilà. C'est comme ça. Puis elle m'a dit, c'est sorti de nulle part: «Lâche tout ça, je vais te prendre sur la table.»

— Hein, c'est comme ça.

— Pis?

— Dans les haricots?

— Oui.

— *Whatever*, lâcha Blackbean.

— Bon sang, les filles.

— Ça fait combien de temps ?

— Quelques mois. Mais je travaille pour sa famille depuis deux ans.

— Oui, mes parents ne cuisinent pas. Ils sont *fucked up*.

Christina et Marie-Ange se caressaient, mâchoire, cheveux.

— Allez-y gaiement.

Edwidge regardait la dame se trémousser sur son tabouret. Elle se leva.

— Vous êtes très ennuyeuses, les filles. J'y vais.

Avec son verre de vin, elle alla se planter contre un mur, de biais, et feignit de regarder son téléphone.

Elle tenta d'imiter une femme seule. Un premier regard avec la brune, dont la tête commença à faire des allers-retours entre son compagnon de bar et Edwidge. Elle lui souriait maintenant franchement. Elle se passa une main sur le ventre et se lança. Échange de prénoms, échange de poignées de main.

L'inconnue, comme déjà prête à tout cela, enleva son sac du tabouret à ses côtés et le donna à une barmaid pour qu'elle le range derrière le comptoir. Discussion animée, endiablée, main sur la main dans des bourrasques de rires.

Une demi-heure passa, puis Edwidge revint à la table de ses amies après avoir descendu son verre.

— *Shit.*

— Quoi encore ? demanda Marie-Ange.

— C'est une des serveuses hétéros. *It's a big fail.*

— Oh !

— *Poor you.*

— Elle va commencer son *shift* dans quinze minutes.

— As-tu laissé un pourboire ?

— Merde. Je nous voyais pique-niquer au son des insectes par un bel après-midi d'été sur la terrasse de notre maison à la campagne.

— *Oh you're fucked up, Blackbean.*

— *It's all because of you, Joy.*

L'alcool tombait dans les yeux d'Edwidge. On venait de la perdre. Elle s'assit dans un fauteuil et sombra dans un état amorphe, portant parfois son regard sur Marie-Ange.

— Elle est un peu *moody,* ton ex. J'en ai marre.

— Tu en as marre de mon ex ?

— Moi, je veux juste toi dans ma vie.

L'amour d'un être unique était une valeur suprême pour Christina.

— Tu sais que je viens d'une grange, répliqua Marie-Ange, sur ses gardes. Je viens des poules et des cochons. Par là ma vie, par là ma mort. Tu es vraiment une mauvaise fille, ajouta-t-elle en lui faisant un clin d'œil.

Christina ne comprenait pas trop. Elle empoigna le bras de Laurence.

— Elle n'arrête pas de me dire que je suis une mauvaise fille quand elle boit. Surtout quand je lui dis qu'elle est la seule personne que je vais aimer toute ma vie.

— Ma belle, on n'apprend pas à chasser pour ne tuer qu'une seule bête, rétorqua Laurence, avant de commander un autre martini.

— *True story*, cria Edwidge en se réveillant.

Marie-Ange s'approcha de l'oreille de Christina.

— Je t'ai vraiment effrayée, hier, quand je t'ai tenue…

— Mais tais-toi.

— J'aime bien être ta patronne. La patronne te paye un autre verre, car toi, toi, tu es née dans des balivernes celtiques. Avec tes cheveux blonds soyeux et tes yeux bleus tout droit sortis d'un mythe celtique.

— De quoi tu parles ?

— Regarde, tu nies. Merde, je vais avoir une sacrée gueule de bois demain. Tu sais ce qui est le pire dans tout ça ? Hé, Blackbean ?

Marie-Ange se tourna vers Edwidge et te la secoua.

— *What do you want, poor lady ?*

— On se ruine ici en verres et demain on va se dire : « Plus jamais je ne boirai une seule goutte. » A-t-on déjà vu ça pour autre chose, du genre, on baise toute la nuit et le lendemain on se réveille et on se dit : « Plus jamais je ne baiserai » ? Je te jure, c'est du jamais vu.

Elle embrassa Christina.

— Les temps changent, murmura Edwidge dans sa détresse.

— Oui, dans les années quarante, il était impensable de parler de mariage entre une belle jeune blonde comme Christina et une grosse Noire comme moi, la patronne, lui répondit Marie-Ange.

Debbie rit.

— *She's such a pig!* lui lança son ex.

— Sauf pour un ou deux poètes qui faisaient des anagrammes avec la guerre et qui portaient des cravates.

— Laurence, personne ne te plaît ici ? demanda directement Edwidge.

— Personne. Je n'aurai jamais aucun mari, aucune femme. Rien ne va me sortir de cet état de complétude solennel que j'ai construit avec ma méditation transcendantale quotidienne. Je ne désire ni l'homme ni la femme. Rien du tout. Tout m'est parfaitement indifférent. Je suis complètement chaste. Rien ne me tente plus que la solitude. Ce n'est pas dur de dire : «Non merci.» Non, ce n'est pas vrai. En fait, c'est plus dur de dire non que oui, mais je le fais.

— Je suis secrètement amoureuse de ta chasteté. Tu es comme en religion, déclara Debbie pour lui plaire.

— Mais pas du tout. Je suis juste libre de tout.

— Laurence, *I really don't think that you're free. You're not a free soul.*

Edwidge empoigna la cuisse de l'effarouchée.

— Oui, je pense que je le suis.

— Ben non. Tu es capturée par des démons qui forcent ton silence. Tu ne laisses pas la fille blanche se faire dominer par la bête en toi.

Laurence eut une vision, celle d'Edwidge qui embrassait ses lèvres.

— Ça va, *are you O.K. ?* dit Edwidge.

— Je vais très bien, lâcha Laurence avant de se lever et de regarder Debbie de façon plus insistante pour qu'elles partent.

Tout le monde se leva.

— Christina, je vais te faire une place, là, dans mon cœur, pour que jamais tu ne tombes dans l'oubli, dit Marie-Ange.

— Patronne, viens, on va se coucher, lui répondit sa blonde.

::

Personne ne put parler du lendemain, car tout le monde était à moitié mort.

Le surlendemain, Marie-Ange refit surface chez la famille de Christina.

— Marie-Ange, te revoilà parmi nous !

— Ça me fait bien plaisir. Et en plus, votre fille m'a aidée pour le griot.

Le porc, le riz à la lime et aux abats, les haricots rouges, tout était dans des plats préparés pour les soupers et les lunchs.

— Il y a des crabes, des scampis.

— Quelle chance, nous voilà en Haïti !

Marina donna l'argent.

— Vous restez pour un thé ? Non, un café, c'est vrai, un café de Guinée, corrigea-t-elle, pensant peut-être qu'Haïti faisait partie de l'Afrique.

Marina s'assit de toute façon et attendit que sa fille fasse de même avant de boire.

— Comment se passe votre cohabitation ?

— C'est très agréable.

— Anthony est vraiment gentil.

— C'est un amour.

— C'est sûr, c'est votre fils, il doit être adorable. Je me prépare un voyage dans le Sud, déclara la mère de Christina. Je pense ne jamais revenir.

Marie-Ange rit de cette humeur sournoise, alors que Christina roulait les yeux.

— Bon, maman, avant que tu partes, je dois te dire.

— Oui, chérie ?

Sa mère eut l'air inquiet.

— Je suis en couple. Papa le sait.

— Mais oui, tu me l'as dit. Cette manie de répéter les choses. Es-tu certaine que la personne élue le sait ? Car moi, j'ai été bien souvent surprise et j'ai souvent fait vivre des surprises à bien du monde en annonçant mes sentiments.

— Voyons, maman ! Oui, elle est au courant.

— Tu vas beaucoup souffrir, ma belle. Le matin, les femmes sont difficiles ; le soir, elles deviennent folles. Et il y a de ces choses dans nos hormones, ces hormones, oh mon Dieu, deux femmes dans une même maison ! Courage, mon enfant.

Elle prit tendrement la main de sa fille.

— Bien entendu, j'aurais pu crier ou te dire de partir. Non. Je t'aime, ma fille. J'ai ma vie, tu as la tienne. Tu ne me dois rien. Tu es admirable. Mais j'aurais préféré que tu ne souffres pas.

— Et toi, tu n'as pas souffert ?

— Cette vie est une des plus frustrées que j'ai jamais vécues. Devenir la mère d'un homme… en l'épousant. À la minute où je me suis mariée, je suis tombée en dépression. Ma mère voulait que je sois médecin, je n'ai pas pu, et depuis j'ai des signes psychosomatiques qui m'empêchent de faire le moindre travail minutieux avec mes mains. Comme la cuisine. Je ne peux pas manier les couteaux. Dorénavant, vous savez mon secret, Marie-Ange.

— Je ne le dirai pas.

— Tu vas nous la présenter?

— Bien sûr, maman. Elle n'est pas prête. Bye.

Marie-Ange se leva en prétextant devoir aller préparer le souper d'Anthony.

Dehors, Christina s'alluma une cigarette.

— Je suis contente que tu aies été là.

— Je suis contente.

— Et je n'ai pas dit que j'étais avec toi.

— Si elle peut faire un plus un…

Elle l'embrassa dans les cheveux.

— Yo.

Christina n'aimait pas ce genre de becs fraternels.

— Le plus important est de terrifier un bon coup sa famille, si bien qu'elle ne vous donne plus jamais de nouvelles, dit Marie-Ange.

— Pour retrouver un semblant de santé.

— Mentale et physique.

— J'aime quand on complète nos phrases.

— J'aime ça aussi.

Edwidge attendait à la maison. Elle avait hâte de leur parler et, dès qu'elles arrivèrent, elle leur exposa sa vie.

— Tu sais, quand ça va mal, d'habitude tu te tournes vers quelqu'un qui a toute sa tête, mais ma sœur connaissait juste des trous du cul comme son mari et moi.

Elle se mit à renifler.

— Elle avait un si mauvais entourage. Chaque fois qu'on essayait de l'aider, on empirait sa situation.

Elle entreprit une conversation à voix haute avec elle-même.

— Je vous donne un exemple. Je lui avais menti, je lui avais dit que j'avais de l'argent, un jour. Je lui ai promis une somme. J'étais saoule, je me suis fait voler mon sac à main, enfin, c'est ce qu'on m'a dit, donc, c'est ce que je lui ai dit et c'est ce que je vous dis à vous aussi, je ne vais quand même pas retravailler toute mon histoire. J'ai eu tellement de misère à retrouver ce montant que je lui ai remis seulement quelques billets, elle comptait sur moi et avait déménagé. Je n'ai pas pu l'aider, finalement, et elle a dû retourner chez son mari, en laissant trois mois impayés à Brooklyn. Je suis un *asshole* parmi tant d'autres dans son entourage. Plus elle demandait de l'aide, plus on lui aggravait son problème.

Elle avait déjà commencé à boire. Elle cala son scotch et s'étouffa.

— Notre grand-mère avait quatre-vingt-deux ans à l'époque et elle n'arrêtait pas de dire qu'elle voulait se faire poser des broches avant de mourir, c'était son dernier souhait. Elle voulait ramener cette satanée dentition pour le futur. Grand-maman s'est donc fait installer de superbes broches. Elle se baladait avec ses broches dans le centre commercial, elle souriait à tout le monde, elle n'avait pas compris qu'un jour il lui faudrait les lui enlever.

— Une grand-mère avec des broches, il n'y a pas de plus bel acte de foi en l'avenir.

— Regardez sa photo funéraire. Elle s'est fait frapper dans le parking du centre commercial.

Christina émit un cri de peur en enlevant son manteau d'automne.

— *I know. Terrible mess. Spending all of her money for absolutely nothing. I could have used that money.*

Edwidge se leva pour aller aux toilettes, mais tomba sur le plancher. Anthony la considéra avec la main sur la bouche, puis il retourna dans sa chambre admirer de nouvelles photos de Christina prises la nuit de leur cuite.

: :

— J'ai reçu un *email* de ma première copine, annonça en sueur Edwidge.

— Cette Portugaise folle ?

— *Yes, exactly, the one and only. I'll go to Boston to see her soon.*

— C'est quoi, cette histoire ? demanda Christina, qui semblait s'être habituée à l'idée de vivre à quatre.

Edwidge regarda Marie-Ange et lui dit d'y aller, de raconter.

— Edwidge suivait des cours d'art dans une maison de campagne près de Boston. Elle et ses amis allaient régulièrement dans cette villa pour dessiner des modèles et faire des dessins d'observation avec un de leurs professeurs. Il y avait un jardin immense et des petits ponts à la Van Gogh qui enjambaient des étangs. Un jour qu'elle ne se sentait pas bien, qu'elle aurait eu une *fièvre*...

— Non, *I really had a fever.*

— *Ya right,* eh bien, elle a décidé de rester à la maison alors que tout le monde était sorti. Elle est donc restée avec la propriétaire de la maison, une Portugaise de deux fois son âge, qui parlait à peine l'anglais et qui tripait sur Edwidge depuis qu'elle y venait. Alors, à un moment, la grande Portugaise est entrée dans la chambre où était étendue Edwidge, *fiévreuse*...

— *I jumped out of my bed.*

— La Portugaise lui a dit : « *I want you to be my baby.* » Et Edwidge a répondu : « *O.K., but what does that mean ?* » Et la Portugaise de répondre en roulant ses *r* : « *First, I want to have sex with you. And secondly, I want to exauce every of your heart's desire.* » Et elle s'est déshabillée entièrement et s'est glissée dans le lit, en remontant les couvertures jusque sous son menton.

— *O.K. you can stop now.*

— Et là, Edwidge s'est couchée près de la Portugaise, a descendu les couvertures et a regardé ses gros seins blancs un peu affaissés, les a embrassés, et la Portugaise lui a dit des obscénités en portugais. Elle n'y comprenait rien, mais trouvait ça excitant.

— *O.K., baby, you know too much of that story.*

— C'est une très belle histoire, dit Christina en regardant dans ses souvenirs et en ne voyant rien d'autre que Marie-Ange. Je comprends tout à fait cette Portugaise, c'est comme ça que je me sens envers Marie.

— J'ai passé l'été chez elle, je la dessinais beaucoup, et les étés suivants également, reprit Edwidge. Et puis, j'ai reçu une offre d'exposition, elle est venue me voir à New York et, finalement, j'ai ouvert ma galerie, et la vie nous a séparées. Mais là, on dirait que la vie nous a réunies. Elle m'invite à aller la voir chez elle. Et si vous veniez avec moi ? Des petites vacances dans les plaines de Boston, allez !

— Moi, je suis pour, dit Christina.

— Et Anthony là-dedans ?

— *He comes with us !*

— Non, nous restons, trancha Marie-Ange.

Et elle retourna à sa cuisine.

— Il vaudrait mieux que tu y ailles seule, Blackbean.

— Rabat-joie.

Marie-Ange se resservit à boire.

— Tu es assez grande, Blackbean.

— *Oh really you think that's why.* Je peux y aller seule, c'est ridicule. Je croyais que ça serait plaisant.

Christina partit rejoindre Anthony dans sa chambre.

— Christina !

Edwidge cria son nom.

Marie-Ange et Edwidge l'observaient alors qu'elle ouvrait la porte.

— Tu viens me dire adieu, lui souffla Anthony.

Christina l'embrassa. Il regardait des vidéos de basket.

— Tu viens nous aider pour les légumes, Anthony ?

Elle le prit par la main et l'amena avec elle.

— Mais vous en faites une tête encore une fois, les filles, dit Christina en voyant les deux femmes qui la scrutaient.

4

POURRISSEMENT

Une fois dehors, je me suis mis à courir,
puis je me suis aperçu que personne
ne me suivait.

Edgar Hilsenrath, *Fuck America*

Edwidge était finalement partie, après avoir pris le numéro de Laurence en note. Elle avait senti une brèche. Elle ne pouvait pas vivre une seule histoire d'amour à la fois, ça lui en prenait au moins deux. Cette fois-ci, c'était la Portugaise et Laurence à distance. Christina regardait sa blonde au loin qui fouillait dans ses tiroirs en se parlant à voix haute. Elle se rapprocha de la chambre pour l'entendre. Marie-Ange murmurait en créole, avec sa voix douce. Elle alla la serrer par-derrière. Elle enfouit son nez dans le chandail de sa blonde et respira son odeur.

Laurence et Debbie arrivèrent à dix-huit heures précises.

Marie-Ange passa le balai de latanier pour ramasser quelques pelures par terre, avant le repas.

Christina l'agrippa à nouveau par-derrière.

— C'est quoi, ça? demanda Christina en voyant le balai fait avec des feuilles de plante.

— Du latanier. C'est moi qui l'ai fait. Ça ramasse vraiment tout.

— Merde, c'est vraiment joli. On devrait aller en faire à Haïti, les ramener et les vendre. On le fera quand on ira, dit Christina en embrassant sa douce.

— Je vois pas ça ainsi, mais oui, si tu veux. Voyez-vous ça, une Québécoise qui veut fabriquer des balais en latanier!

Marie-Ange souriait en balançant le balai par terre. Elle ne comprenait pas cet engouement que Christina avait pour Haïti, pour tout ce qui était exotique, toute cette importance qu'elle donnait aux choses inutiles. Ça devait être l'amour. Ou peut-être que c'était plus grave. Comme une espèce de fixation lancinante pour les accessoires haïtiens et pour les femmes. Ou tout simplement un envoûtement quelconque.

— Marie, est-ce que tu danses le kompa?

Christina mourait d'envie de l'appendre.

— Oui, je l'ai dansé en Haïti, c'est sûr.

Elle continua à balayer.

— Une femme qui danse est une femme qui a survécu.

— Tu veux me montrer c'est comment?

L'Haïtienne alla déposer les détritus dans la poubelle.

— O.K., les filles, vous allez me montrer ce que vous savez faire.

Elle alla mettre de la musique, de la rumba congolaise et du kompa. Elle servit du rhum avec des glaçons dans de petits verres, puis alla aux chaudrons, vérifia le bouillon et son griot aux haricots.

Elle donna un bref cours de danse à Christina et à ses invitées.

— Hé, j'ai rêvé que je découpais un mutant. Avec plein de culpabilité, dit Christina en arrêtant de danser.

Laurence et elle regardaient danser Marie-Ange et Debbie.

— Elle a vraiment un foutu corps, ta copine, pour son âge.

— Hé ho, elle n'est pas si vieille.

— Tu as quel âge, Marie-Ange ?

— Quarante-deux ans. Et deux fois plus de cul que toi.

Debbie s'arrêta net.

— Dis donc, ça me rappelle, c'est pas l'âge auquel ta mère est morte ?

Marie-Ange garda ses bras autour de sa partenaire.

— Oui.

Un froid s'installa.

— Navrée, je ne voulais pas te secouer.

— Non, ça va. Je n'y avais juste pas pensé. Excuse-moi.

Elle tassa Debbie et alla s'asseoir sur le sofa.

— Je n'avais pas pensé à ça. Ça y est, j'y suis rendue.

— Mais non, arrête de faire ta conne.

— Elle est morte foudroyée par un infarctus en courant après ses poules.

— Ah ben, voyons !

— Je revenais de l'école par un chemin de terre et des poules couraient sur le chemin. Je m'en souviens.

C'était comme si ma mère courait vers moi. Mais sous forme de poule. Habituellement, les clôtures de bois étaient fermées. Mais, ce jour-là, elles étaient ouvertes. J'ai aperçu le corps de ma mère qui gisait dans notre entrée. Enfin, je crois qu'elle avait dû courir après les poules. C'est toujours ce que je me suis imaginé. Pourquoi la voisine avait ma petite sœur dans ses bras et est venue à ma rencontre, je ne sais pas. Je ne sais pas pourquoi. Et puis mon père, de la cavalerie, est arrivé en voiture avec ses collègues et est rentré dans notre clôture avec son auto. Je croyais bien qu'il allait mourir lui aussi. Il s'est mis à crier et il l'a prise comme une poupée de chiffon sur ses genoux. Il n'y avait pas de sang, rien qui ait séché au soleil. Il n'y avait que ma maman, comme endormie par l'air d'été. Je n'y ai pas cru. Quarante-deux ans. Comme moi qui danse en plein milieu de ma vie, comme dans un océan sans rives.

Elle se tint le cœur.

— Je n'y crois pas, lança Marie-Ange, en peine. Je dois aller m'étendre.

Elle partit se coucher dans son lit.

— Putain, bravo! dit Laurence à Debbie. On ne parle pas de la mort à une Haïtienne, hypocondriaque en plus.

Elle reçut un texto et sourit.

— C'est qui? demanda Debbie.

— Edwidge vous salue.

Elle lui fit les gros yeux et remit son cellulaire dans sa veste.

Debbie, honteuse, regarda par terre.

— Comment je pouvais savoir qu'elle partirait sur une panique de la quarantaine ?

— Tu es sortie avec elle en plus ! Comment as-tu pu oublier ? Allez, on y va.

Debbie suivit, la mine déconfite. C'était si rare qu'on voyait Marie-Ange triste.

— Ça n'a pas de rapport, on ne meurt pas automatiquement à l'âge de notre mère, dit Christina.

— Oui, mais ça, ça ne se raisonne pas, on y pense, on pense que ça y est, j'ai dépassé l'âge de ma mère, mon tour s'en vient.

— Faut pas penser à ça.

Elles sortirent.

Christina alla s'étendre à côté de Marie-Ange, qui avait tiré une couverture par-dessus sa tête.

— Ça va ?

Christina lui flatta le bras.

— Ma mère a toujours vécu dans l'ombre de papa le cavalier. Je me demande même si elle a vraiment vécu, si quelqu'un l'a vraiment connue, si elle a pu même une seule journée vraiment exister. Je suis certaine qu'elle a dû exister avant de se marier, avant de devenir une épouse.

— Elle a dû être quelqu'un, oui.

— Oui, j'ai une photo d'elle à huit ans, avec son habit d'église et ce regard si espiègle. Elle semble avoir plein d'idées dans la tête, plein d'idées pour elle-même, plein d'existence dans le regard, plein d'immortalité, plein d'envie d'écrire des poèmes sur l'automne et sur Jésus, plein d'envie de peindre des aquarelles, de faire des choses qu'elle aime, de manger à outrance des mets sucrés et interdits. Elle s'est perdue, cette femme-là. Et dire qu'elle était devenue si faible, si vide, qu'une poule l'a tuée en quelques foulées de course et battements de cœur.

— Pour tous ces œufs et ces coqs que vous avez mis dans vos bouillons, elles n'ont pas fait de sentiment : « Allez, cours un peu, la vieille, pour voir. »

Marie-Ange rit en se retournant.

— Désolée.

Christina la prit dans ses bras et la sentit s'endormir contre elle.

Une heure plus tard, Marie-Ange se réveilla en sursaut.

— Christina, je suis d'accord. Allons le dire à ta famille, pour moi. Si je dois mourir cette année, en sortant mes poubelles, mieux vaut en finir avec mes mensonges.

— Et ton travail ?

— Ne ferais-tu pas mieux d'être juste heureuse et optimiste ? Tu aurais dû dormir, toi aussi, cela m'a fait un bien fou !

— Mais je suis heureuse.

— Oui, tu devrais être heureuse.

— Je le suis.

— Ne sois pas comme ça.

— Comment ?

— Me contredire systématiquement comme un enfant. Un bel enfant.

— Reste polie.

— Fêtons.

— D'accord.

— Tu veux bien passer encore quelques années avec moi? Je suis très vieille, tu sais.

— Tu le veux, toi?

— Bien sûr.

— Alors, moi aussi.

— Alors. C'est quoi ce «alors»? Jure-le, Christina.

— Ben voyons: je le jure.

— Parfait. Recommençons cette journée du bon pied.

Elle l'embrassa lentement.

— Allez, viens, je t'emmène voir ma sœur.

— Ah non. Si c'est ta vision d'une journée de fête…

— Ah ben oui.

— Depuis qu'elle est protestante, elle ne veut plus te voir parce que tu as des greffes de tresses. Elle t'a dit que c'était Satan qui faisait des tresses.

— Justement. Appelons-la pour voir comment elle va. J'ai besoin de me purifier.

Quand une femme désire parler à sa sœur, même si cela entraîne de grandes souffrances, il n'y a rien à manigancer pour l'en empêcher, il faut que ça se fasse, sinon ça restera comme une griffe mal sortie chez un chat mal foutu.

: :

Christina fixa un souper pour parler à ses parents de sa relation avec Marie-Ange.

— Et c'est Marie-Ange et moi qui ferons le souper, cette fois.

Le jour J, les deux filles mirent le bouillon haïtien à chauffer et le griot au four, puis s'affairèrent à dresser la table.

La mère n'avait pas dit un mot et se contentait de rester assise au piano, à pianoter légèrement.

— Maman, maman, tu viens?

Paul-Henri était assis à table et versait le vin.

Un cri déchira le soir. Marina éclata en sanglots et appuya sur toutes les touches du piano dans une cacophonie de notes.

— Mon amant est infidèle, cria-t-elle.

Christina fronça les sourcils.

Marina se leva et quitta la pièce en essuyant son nez rouge.

Le père la regardait partir.

Christina alla chercher les plats.

La mère revint en se mouchant et prit place à table.

— Il n'y a rien de pire qu'une épouse fâchée contre son amant, déclara Paul-Henri.

Marie-Ange but son verre d'un trait.

Marina promena sa main dans le cou de son mari.

— Je suis désolée. Profitons de cette belle soirée tous ensemble. C'est agréable de vous voir là. Hein, ma fille, on ne te voit plus très souvent.

— C'est vrai.

— Tu voulais nous dire quelque chose?

Marina se tamponna les yeux avec sa serviette de table.

— Alors, tu es toujours amoureuse, ma fille ? Qui est l'heureuse élue, tu vas nous le dire ? Celle qui aura tout pouvoir sur toi et qui pourra écraser ton cœur et ton âme comme des haricots dans un mouchoir. Hein, Marie-Ange ?

Elle poussa Marie-Ange du coude.

— Nous, on connaît la vie.

Elle lui fit un clin d'œil.

— On est ensemble, maman.

— Qui ça, « on » ?

— Marie-Ange et moi.

Le père et la mère s'écrièrent « Quoi ? » en même temps. Un sursaut de synchronicité.

— Eh bien ! Tiens donc, je n'avais pas vu ça venir. C'est fort possible. Il n'y a rien de pire que lorsque notre passion soulève l'indifférence, et notez que je parle par expérience, une expérience qui date de ce matin en plus. Une expérience on ne peut plus fraîche, désolée si je ramène ça abruptement à moi, une expérience douloureuse qui palpite encore dans mon cerveau et, en plus, qui est le fruit du travail d'une boulangère. Qui aurait cru que l'histoire de ma vie finirait entre les mains d'une boulangère qui me volerait mon amant ? Avec ses deux gros fourneaux à pain.

— C'est regrettable, commenta Marie-Ange avec empathie.

— Le purgatoire aussi est regrettable. Et pourtant, il nous pend au bout du nez, à nous, gens, hommes et femmes, de mauvaise vie, comme la fenêtre pend au bout du nez des suicidaires. Et par mauvaise vie, je ne parle pas d'homosexualité, je parle d'années gâchées, perdues à se soumettre aux diktats d'une société. Je vous admire de sortir tout engluées du mensonge, comme des nymphes remontant à la surface, comme le saumon remontant le courant. Bravo, les filles! Bon, maintenant que c'est dit, parlons d'autre chose. Je vous ai dit que je voulais partir dans le Sud? Oui, dedans. Pardon, ai-je jeté un voile noir sur la soirée?

— Tu viens de faire un mauvais jeu de mots avec le mot « noir », devant une Noire, constata Paul-Henri, amusé.

— Ah oui, c'est vrai, je ne voulais pas, dit la mère.

— À quand les petits mulâtres? demanda le père.

— Tut-tut, cessons de parler, il est trop tôt pour penser à ça, de toute façon, mangeons, dit la mère.

Elle joua avec sa nourriture, puis reprit:

— J'étais justement dans l'autobus en revenant de chez mon amant, car j'avais trop bu pour conduire mon auto, et voici ce que j'ai entendu, en parlant du griot. Marie-Ange, tu vas aimer. Alors, voilà. C'étaient deux hommes qui revenaient de pêcher dans la rivière des Mille Îles et ils étaient assis en face de moi, avec leurs cannes à pêche, et puis tu as le jeune sportif qui dit: «J'ai mangé du griot», et l'autre de dire «Du gruau? — Pas du gruau, esti, du griot. — Du gruau? — Pas du gruau, esti, du griot, g-r-i-o-t. — Du gruau? — Non, pas du gruau.» Le gars avait une patience exemplaire: «Du griot, esti d'épais. — Ah, du gyros! — Non, du griot. — Du

gryos ? — Câlisse, c'est six piastres quatre-vingt-dix-
neuf au coin de Saint-Michel et Fleury, tu iras t'en
acheter, simonac d'épais. »

5

MORT

Le phare appelle à lui la tempête.

Malcolm Lowry

Quelle direction peut prendre la vie quand une fille n'a plus d'emploi, qu'elle regarde la télévision à longueur de journée, qu'avec sa blonde la vie s'est sclérosée et qu'un enfant est là, adulte, à la désirer, dysfonction-nel, à cacher ses érections sous des coussins Mickey Mouse et à fomenter des coups d'État contre les gens qui le violentent? Il n'y a plus beaucoup d'espace pour que le jardin fleurisse, plus beaucoup de temps pour chasser les idées gélatineuses de mort à l'âme. Une fois que le coup d'épée a été donné, que la peine est capitale, le faste du combat s'éloigne déjà. À deux doigts de se fatiguer, de s'endormir, d'un même cou-rant s'enliser dans le même marais et en être offensées. Marie-Ange multipliait la chasse aux recettes pour des familles plus exigeantes, Christina aidait beaucoup, mais jamais assez. Le départ d'Edwidge avait creusé un grand vide dans la maisonnée et il devint impos-sible de ne pas remarquer l'intense décrépitude de ce déménagement amoureux mais trop hâtif.

Le match de basket de fin d'année scolaire avant le temps des fêtes arriva, Marie-Ange avait cuisiné des gâteaux pour tous les joueurs. Arrivé au gymnase, Anthony s'assit et attendit ses coéquipiers. Christina l'avait entraîné la veille même, dans le salon, en lui dribblant quarante-six passes réussies. Ils attendirent dix minutes. Des enfants partaient à l'heure du lunch. Marie-Ange et Christina apostrophèrent un homme qui semblait être un professeur et lui demandèrent si le match avait été remis. Le professeur eut l'air surpris et répondit que le match avait déjà eu lieu la semaine d'avant et que les verts l'avaient remporté, et tout le bataclan.

— Mais mon fils, là. Il n'a pas été appelé.

— Anthony est votre fils ? Anthony n'a pas voulu jouer dans l'équipe, cette année. On a eu beau insister, il ne s'est jamais présenté aux entraînements.

— Merci.

Marie-Ange bouillonnait.

— Viens, Anthony. Le match est annulé. Les joueurs ont la grippe. On rentre dîner.

Il cria que ce n'était pas vrai. Il courut et puis parcourut toute la distance au pas de marche, bien en avant des filles.

— Dans quel monde tu vis ? Mais arrête de me mentir !

La mère avait crié.

Puis vint le moment de célébrer l'anniversaire d'Anthony, le 20 décembre. Dans une liesse retrouvée, le couple avait décoré la maison pour Noël et pour l'anniversaire, dans un débordement de guirlandes. Anthony ne se leva pas, ce matin-là. Il attendait avec frénésie que sa mère entre en chantant pour le tirer du lit. Les filles le sortirent de force et il rit de tout son cœur. Grand déjeuner, cadeaux et virée à la patinoire. Deux amis vinrent écouter des films à la maison, les comédies sentimentales faisaient pleurer Christina à qui l'idée de mourir en tenant la main de Marie-Ange paraissait maintenant surannée et déplaisante. Puis, le week-end après Noël, une amie vint à la maison pour garder Anthony et les filles allèrent à leur restaurant préféré ; elles se firent un tête-à-tête à la Coupole. Baisers dans les ruelles sous la neige, Marie-Ange réchauffa les lèvres glacées de Christina avec les siennes.

— Je sais ce que tu penses. C'est trop pour toi, de vivre avec Anthony et moi. Je ne te forcerai pas.

— Ne me mets pas tes mots dans la bouche ! Mais voyons, non. Je ne peux pas avoir échoué ! Tu es tellement bizarre depuis que tu as réalisé que ta mère est morte à ton âge.

— Oui, je crois que de réaliser cela m'a éloignée de ta jeunesse. Et toi, tu t'éloignes de moi pour d'autres raisons.

— Mais il doit bien y avoir une solution. Quoi, tu veux vraiment que je parte ?

— Non, toi, tu veux partir. Tu fais comme si.

— Si c'est comme ça.

Humiliée et prompte aux changements, Christina ressortit ses boîtes et commença à chercher un appartement. Elle se jeta sur le premier logement abordable. Au moment de partir, Marie-Ange la prit tellement doucement dans ses bras pour l'entraîner dans les confins du lit, qu'elles malmenèrent toute la matinée, que les déménageurs sonnèrent, sonnèrent, sans réponse. Marie-Ange leur envoya leur paye par la poste. Elles passèrent la soirée à redéfaire les boîtes tout en ayant du plaisir à repenser cette nouvelle vie commune.

— Aimer une jeune femme impulsive me donne à vivre des moments pathétiques, avoua Marie-Ange.

— Oui, mais tu me connais maintenant. Vas-tu m'aimer même si je suis un peu folle ?

— Merde, des céleris et des poivrons orange, c'est ce que j'ai oublié d'acheter. Tu disais ? Excuse-moi, je ne t'écoutais pas.

::

Marie-Ange fut traumatisée par ce faux déménagement. Elle s'enlisa dans l'alcool et s'isola. Elle avait tellement peur que Christina ne la quitte encore qu'elle se mit à fabriquer du drame avec des riens. Puis vint une phase où elle se mit à élaborer des tas de nouvelles recettes et se prit deux autres familles, pour ajouter au stress. Elle commença à mettre de l'argent de côté. Elle accumulait des liasses dans le tunnel des barres à rideaux, comme le faisait sa grand-mère. Elle se juchait sur un petit banc de bois et enfilait les rouleaux dans les ouvertures.

Un jour, elle accrocha Christina par la manche et lui dit :

— Viens, on se barre.

— De quoi tu parles ? Tu me fais peur.

— Mais non, n'aie pas peur. Ce week-end, à l'hôtel. Allez, boucle ta valise !

Christina obéit et mit deux, trois vêtements dans un sac et le nécessaire de survie.

Marie-Ange appela un taxi.

— Et Anthony ?

— Tout est organisé. Ma sœur ira le chercher après ses cours. C'est notre week-end à nous. J'ai réservé à l'hôtel de notre restaurant la Coupole, avec ce chef aux fourneaux, l'immense lustre et l'escalier roulant qui mène aux toilettes.

— Et c'est quoi, ça ?

— Un sac de bas.

— Pourquoi ?

— Mais parce que. Tu ne vois pas que tu poses trop de questions ?

Christina était incapable de sourire. Il y avait dans la nervosité de Marie-Ange depuis des jours quelque chose qui rendait son visage méconnaissable. Christina pensa tout de même que cela les rapprocherait et qu'elles pouvaient se le permettre avec tous les repas qu'elles avaient préparés, ces derniers mois, pour les autres.

Le souper se déroula à merveille, le champagne délia les corps, elles se roulèrent jusqu'à leur chambre et Marie-Ange obtint ce qu'elle voulait, le corps de sa blonde, qu'elle n'arrivait plus à rejoindre.

Le lendemain fut comme la veille, avec en plus massages et spa.

Lundi matin, Christina sortit de la douche.

— Il ne serait pas temps de rentrer ?

— Non. J'ai doublé notre réservation.

— C'est-à-dire ?

— Qu'il nous reste encore tout le temps qu'on veut, que j'ai eu toutes les autres nuits au même prix.

Christina émit un rire peu rassuré. Elle essaya de se rendre à sa trousse de toilette.

Marie-Ange dit « tut-tut » et cacha le sac dans l'armoire.

— Wo, la folle.

Résignée, Marie-Ange alla chercher le sac et s'excusa.

— On baise, et puis on s'en va, annonça Christina.

— Non, on ne s'en va pas.

— Tu vis dans ton rêve de princesse ?

— Non. Je crois qu'on peut rester ici le temps qu'on voudra, c'est tout.

Marie-Ange lissa ses cheveux devant le miroir. Son corps musclé dans la robe de chambre blanche semblait si détendu, confiant, que Christina retourna à son sac et le déposa au pied du lit en se posant une question.

— Anthony va s'ennuyer.

— Il est avec ma sœur. Elle va s'en occuper. Il s'avère qu'il ne pouvait plus vivre avec nous. C'est mieux pour lui qu'il soit ailleurs.

— Ben voyons.

— Il te prenait en photo nue.

— Pardon ?

Elle se retourna et, de surprise, ses yeux se remplirent d'eau.

— Tu me niaises?

— Hé non.

Christina, choquée, se pencha et fouilla dans le sac de bas dépareillés. Elle en sortit un, puis deux, ils étaient tous bourrés de billets de banque.

— Ah ah, tu as trouvé ma cachette.

— Tu penses qu'on va rester combien de temps ici, un an?

— C'est à toi de décider. Je ne vois pas d'autre solution.

La folie de sa blonde excita un peu Christina, qui s'allongea sur le lit. Marie-Ange mit ses talons hauts, dénoua sa robe de chambre, ses gros seins à la vue, elle déshabilla Christina. Celle-ci s'attarda sur les talons hauts de sa blonde, les caressa du bout des doigts, les embrassa, les lécha, les engloutit dans sa bouche. Marie-Ange patienta, sachant très bien que la laisser faire était préférable. L'amour fait, Christina joua avec le petit carnet papier de l'hôtel.

— Je ne sais pas, on devrait écrire une pièce de théâtre ensemble pendant que nous sommes encore sobres, proposa Christina. Nous aurions dû l'essayer bien plus tôt.

— O.K.

— On écrit une ligne chacune.

— Sur quoi?

— Notre séparation.

— Je commence, dit Marie-Ange.

Le chant du rossignol

4 h 42 : Il pleut.

5 h 15 : Il fait noir.

6 h 00 : Il est tôt, le trottoir est mouillé.

7 h 00 : Il fait froid, je vais marcher.

8 h 00 : Il n'y a personne dehors, tout juste moi.

8 h 15 : Mais c'est tout juste. Tu m'appelles, je réponds.

8 h 20 : C'est terminé entre nous.

8 h 21 : Je raccroche, prétextant le cauchemar.

8 h 22 : Je te rappelle pour te dire que je t'aime encore.

8 h 23 : Mais je te dis qu'on a du temps pour y penser.

8 h 24 : C'est vrai, je le pense.

8 h 25 : Tu ne me réponds rien.

8 h 30 : Je glisse dans une flaque d'eau et tombe par terre, à la renverse.

8 h 31 : Le cellulaire flotte dans la mare pendant une longue minute. Il est mort.

8 h 32 : Je fais demi-tour, je rentre chez moi.

9 h 30 : À la maison, j'ai un message vocal de toi qui date d'une heure disant que c'est fini.

9 h 32 : Puis un deuxième disant que tu m'aimes encore ; je ne sais pas, lui, de quand il date, je cherche à savoir.

9 h 33 : Le cellulaire sonne, il est revenu à la vie, je réponds, c'est toi. Je dois partir au travail.

12 h 00 : Je ne sers à rien, au bureau, bonne à rien aujourd'hui. Je fais la morte.

17 h 00 : Tu es là, tu m'attends à la sortie.

17 h 01 : Tu pleures, je crois.

17 h 03 : Nous allons dans mon véhicule.

17 h 04 : Tu mets la radio très fort.

17 h 05 : Nouvelle et puissante quinte de pleurs venant de toi.

17 h 06 : J'ai trouvé ta cuisse, je glisse ma main sous ta jupe de lainage.

17 h 20 : Quinte de pleurs retenus venant de moi-même.

17 h 23 : En entrant dans mon stationnement, j'accroche une poubelle de métal, tu cries, je retire ma main et accélère dans mon allée. Je t'assure que ce n'était pas un animal.

17 h 24 : Tu ne penses pas pouvoir continuer, me dis-tu pour justifier tes appels matinaux.

17 h 25 : Je t'ouvre la portière et te prends la main tranquillement.

17 h 38 : Nous cessons notre étreinte et nos quintes de pleurs, debout sur mon allée de béton. Un voisin nous regarde par la fenêtre.

17 h 40 : Un chien jappe, une joggeuse passe, mon ventre crie, je crois n'avoir rien mangé de la journée.

17 h 45 : Tu me prépares un sandwich, mon sandwich préféré.

17 h 46 : Personne ne connaît le secret de ce sandwich et tu partiras avec lui.

17 h 47 : Je me cache dans mes mains pour pleurer. Le dernier repas avec toi.

17 h 52 : Je m'assois et mange dans mes larmes.

17 h 53 : Tu bois une liqueur en me regardant attentivement, drôlement.

17 h 55 : Les mots nous manquent.

18 h 00 : Le coucou sonne. Drôle de lied joyeux d'antan. Suranné pinson en bois.

18 h 01 : Je me suis effondrée sur le sofa, tu viens t'installer près de moi.

18 h 05 : Je crie ma tristesse comme un dernier appel à l'aide.

18 h 10 : Je suis toujours pliée en deux, j'ai de la misère à respirer dans mes sanglots.

18 h 18 : Tu me dis que tu ne sais pas.

18 h 20 : Mes oreilles sont rouges, mon cœur tambourine dans mes tempes, j'ai le vertige, le visage trempé, on se sépare, donc. En ce moment. C'est maintenant.

18 h 25 : Je fais une blague sur mon état lamentable de babouin en pleurs.

18 h 28 : Tu ris, tu m'étonnes.

18 h 30 : Je me lève, je respire à grands coups et j'expulse des sons interminables qui me libèrent.

18 h 35 : Tu nous sers un verre de vin d'une extrême nécessité, que j'avale en souriant un peu.

18 h 36 : Je suis contente de te voir avec mes yeux bouffis, mais infiniment triste aussi.

18 h 40 : Je me retourne pour caresser le chien qui nous regarde, immobile, tu nous ressers du vin.

19 h 00 : À la fin des nouvelles télévisées, on se dit qu'il y a quelque chose qui nous a échappé pour qu'aujourd'hui on se quitte.

19 h 02 : Je ferme la télé et tu perds connaissance. J'aurais dû partager mon sandwich avec toi.

19 h 05 : Tu reviens à toi lorsque je te mets une serviette d'eau froide sur le front.

19 h 07 : Tu te tiens la tête et me demandes une aspirine à ce moment-là.

19 h 08 : Je vais t'en chercher une, bien entendu, à la course folle.

19 h 12 : Je te demande si ça va.

19 h 13 : Tu ne me réponds rien.

19 h 14 : Tu t'effondres en larmes.

19 h 30 : Tu ne comprends pas ce qui nous a échappé, et que maintenant c'est fini.

19 h 40 : Je ne t'en veux pas, tu ne m'en veux pas, je t'aime, je te dis.

19 h 41 : Tu me redonnes la bague que je t'avais offerte.

19 h 45 : Je ne comprends pas, je ne suis pas comme toi, moi, je veux bien garder tout.

19 h 46 : À présent, tu m'en veux beaucoup de rendre les choses plus difficiles et tu me donnes la bague, sérieusement.

19 h 50 : Je la mets à mon auriculaire.

19 h 52 : Tu la pousses, je crois qu'elle sera prise là à tout jamais, et qu'il me faudra du savon pour l'enlever un jour, si je le veux.

19 h 58 : Nos mains se tiennent plus fort qu'au départ et tes ongles laissent des traces, je ne t'en veux toujours pas, tous nos projets auraient été à l'eau si

nous en avions eu, mais non, nous n'en avions guère, c'était bien, mais ce n'était pas bien pour toi, je le sais.

: :

— Il est presque vingt heures. Peut-être devrions-nous aller souper. J'ai un de ces maux de tête.

Christina enfila une veste de cuir et elles descendirent vers le restaurant. Elle se demanda comment parler de «ça», de son côté Marie-Ange s'étonna d'être rendue aussi loin dans ses images de vie sans blonde, dans une nouvelle solitude retrouvée, comme un ennemi en elle qui lui disait que Christina était déjà partie. Alors que tout était encore là. Il n'y avait rien d'autre de vrai. Mais tout était extérieur, et prêt à prendre la fuite. Quand l'essentiel avant était secret, interne, et sans disparition. L'imaginaire était maintenant persécuté. Marie-Ange avait tellement peur que sa blonde la laisse qu'elle préféra prendre les devants.

— J'aimerais que tu te rendes compte avec moi, avant la fin de ce souper, qu'il est absurde de rester ensemble.

Elle serra les mains de Christina dans les siennes.

— Que de sortir ensemble est une bêtise, que d'être en couple avec quelqu'un est une aberration, un archétype tyrannique. Que de dire qu'on aime revient à dire qu'on ne s'aimera plus, que de se promettre fidélité sous-entend qu'il y aura lutte, que de manger, dormir ensemble fait de nous des animaux asservis, que de s'engueuler nous rend malades, que de s'entraider nous infantilise, que de se présenter au monde comme un duo est très superficiel, qu'on est seul et qu'il est important de le rester, que de s'aimer, c'est offensant pour soi, que de vouloir coucher ensemble sans arrêt est signe d'un désir pas d'un état, qu'un désir doit rester inassouvi sinon il meurt et entraîne la mort de toutes choses avec lui, que de vouloir mourir ensemble est absurde et impossible, que la solitude ne devrait pas être blessante et qu'elle le sera à cause de cette invention qu'on s'est créée. Que tu ne me connais pas, que je ne te connais pas, que tu ne me connaîtras jamais, que je ne te connaîtrai jamais, qu'on ne peut éviter de se parler, mais que c'est inutile, que de rire et de pleurer ensemble souligne notre effroi de nous être rencontrées et d'avoir renoncé au bonheur solitaire, le seul, le vrai possible.

— Tu parles toute seule.

Christina se leva.

— Tu me séquestres, tu me violes, puis tu me jettes. Je n'aime pas ça.

— Je ne t'ai pas séquestrée et je ne te jette pas, je veux seulement te faire comprendre l'impossibilité de notre relation. Tu es jeune et un jour tu voudras avoir des enfants et être plus épanouie.

— Mais tu dis n'importe quoi. Tu me cherches vraiment… Je ne jouerai pas à ça avec toi. Allez, on rentre, Marie-Ange. Arrête de penser, on retourne chez toi. C'est notre vie.

— Non, tu ne pars pas d'ici tant qu'on n'a pas trouvé de solution.

— Très bien, on mange, et ne me parle plus.

— Ça me va.

Elles mangèrent en silence.

— Je vais prendre un bain, annonça Christina.

— Parfait.

Marie-Ange en profita pour aller appeler, en panique, Edwidge.

— Aide-moi, mon amie.

— Tu es où ?

— Dans un hôtel.

— Tu ne refais pas le coup de la séquestration ?

— Oui. Je suis en plein dedans. Je ne sais plus quoi faire avec Anthony et tout. Il est mieux avec ma sœur, loin de mes amies. Je veux sauver quelque chose qui n'existe pas. J'ai eu la preuve que rien n'existe ! C'est une pure invention.

— Viens à New York. Il y a des rétrospectives qui prouvent que certaines choses ont probablement existé.

— Mais ça ne prouve en rien que j'existe.

— Prends-toi quelque temps pour toi, viens me rejoindre à New York.

Elle raccrocha. Elle alla dans la salle de bains et contempla Christina, ses longs cheveux mouillés sur ses seins, la mousse recouvrant son ventre et ses jambes. Tout cela semblait tellement vouloir la convaincre que des choses existent et qu'on peut les saisir. La beauté maquillait les plus terribles néants. Christina dessinait des labyrinthes dans la mousse. Elle leva les yeux vers la femme qu'elle aimait. Marie-Ange se dévêtit et entra dans l'eau chaude. Elles se dévisagèrent, les jambes entrecroisées, préoccupées par des dialogues intérieurs incessants. Leurs doigts se rejoignirent. L'antinomie des pensées conduit à la mort le plus subtil espoir d'un bonheur durable. Tout est pensé avec son contraire, pourquoi tout est moribond à peine né? L'humain n'existe plus que par son opposé. L'homme pense qu'il est Dieu, qu'il est le soldat, le juge de sa tribu et le condamnateur. Marie-Ange le savait : ce qu'on aime finit par nous dévorer vivants. Est-ce nous qui agissons ou quelque chose qui agit sur nous? Nous ne savons pas. Peut-être parce que le feu a failli littéralement prendre sur elle et Edwidge, que la métaphore a tellement voulu exister qu'elle s'est manifestée, peut-être parce qu'elle vit dans les cendres et qu'elle les voit, peut-être parce que, avec la venue de Christina dans sa vie, elle y a encore cru et que pourtant, aujourd'hui, il lui est impossible de croire en quoi que ce soit. Les saccageurs sont bénévoles. Dans un tel état d'esprit, où l'on croit que rien n'existe, bricoler sa vie ressemble à une grosse farce fomentée par l'absurdité de chacun de nos gestes et par chacune de nos décisions. La lumière rose flottait dans la salle de bains, elles ne dirent pas un mot, n'accordèrent aucune importance au moment qui passait. Ne voulant plus ni être ensemble ni être séparées. L'eau se refroidit, elles se lancèrent des regards furtifs. Elles allèrent se coucher sans dire un mot. Et sans se coller, pour la première fois.

— Que veux-tu qu'on fasse? demanda Christina en lui tournant le dos, voyant que Marie-Ange ne dormait pas non plus.

— C'est moi qui décide ?

— Ne joue pas l'innocente. Tu sais que je serai blessée, de toute façon, c'est dans la famille. Ma mère ne
sait que faire de ses deux mains, j'ai hérité de la passion dévorante. Je croyais que tu allais être la seule.
J'avais les clés de chez toi, c'était chez moi et là, nous
sommes nulle part.

— Si on quitte cet hôtel, on ne se reverra plus.
Je connais ce genre de situation. Créons une petite
ambiance.

Elles allumèrent une dizaine de bougies, se ser-
virent un verre et s'installèrent dans le grand fauteuil.

— Tu veux me préserver de quoi au juste ? demanda Christina.

— De tout ce qui n'est pas beau. La famille nous
injecte de ces faits. Mon fils nous empêche d'habiter
ensemble, ce qui n'est pas de sa faute, remarque bien
que je ferais pareil, tomber amoureuse de toi, mais je
ne sais pas, je ne m'en sens plus obligée.

— Redevable ?

— Je n'arrive pas à lui pardonner. Cherchons qui
est le coupable.

— De notre séparation ?

— Oui.

— J'imagine qu'il n'y en a pas, de coupable. Les
choses se transforment. C'est toi qui m'as appris ça.

— Ç'a toujours été si ambivalent chez toi...

— Quoi ?

— Cette passivité amoureuse, cette certitude froide
que toi et moi, c'est l'amour.

— Je ne m'en rends pas compte.

— Eh bien, ça nous fout la peur que tu vas ficher le camp sans même que tu t'en aperçoives.

— C'est d'ailleurs ce que j'ai essayé de faire en appelant les déménageurs.

— C'est très déstabilisant.

— Mais merde. On a créé nous-mêmes nos problèmes, ils nous ont dominées, on les a inventés de toutes pièces pour en finir.

— Cette pulsion céleste, abyssale, de mort a refait surface. Là où il y a vide, il y a pérennité.

Elles discutèrent de longues heures, jusqu'à ce que Christina finalement tombât endormie à côté, la tête posée sur les genoux de Marie-Ange.

Celle-ci se leva et commença à souffler les bougies. Puis, à la dernière, elle ne put se résigner à l'éteindre, elle la garda allumée et l'approcha d'elle. À la lueur de la flamme, elle regarda Christina. Celle-ci bougea légèrement en sommeillant et s'étendit de tout son long sur le fauteuil. Marie-Ange s'assit à côté d'elle et l'observa dans le silence le plus total. Sa respiration était forte et rapide, le sommeil profond l'avait déjà envahie. Marie-Ange tremblait. Elle pensa avoir vu un chat passer furtivement devant la porte de la salle de bains. Ces visions qu'elle avait, de leurs vies séparées, de Christina au bras d'une autre, de Christina enceinte, elle les avait depuis le début de leur relation. Un peu de cire de bougie coula sur sa robe de chambre. Elle ferma les yeux pour faire une prière, une prière pour que les peurs s'évanouissent comme une vapeur d'opium anglais dans l'air. Elle se mordit la lèvre. Regarder Christina dormir devint le plus précieux des moments. Elle ne savait ni que faire ni comment arrêter cette nuit infernale. Dormir était impossible.

Elle pensa à Edwidge qui savait, qui connaissait cet état. Elle devait être complètement affolée à cet instant, à New York, après l'appel de son amie. Elle qui avait déjà été à la place de Christina, amoureuse, soumise, incandescente, rigide et attentive aux mondes de Marie-Ange. Elle avait été, elle aussi, amenée par Marie-Ange en vacances forcées dans un hôtel, où elle avait peint durant trois jours. Cela s'était terminé en beuveries et en bataille, et c'est là que le feu avait pris, par malchance ou par maladresse. Marie-Ange n'arrivait étrangement plus à se rappeler si elle avait réellement voulu la tuer, ne serait-ce qu'un instant, ou loin de là. Les cycles sont la source des volontés, le cercle est au cœur de nous et tout semble vouloir revivre si l'on suit les lignes d'énergie qui nous animent sans prendre le temps de les briser. De vivre cette situation une deuxième fois, avec tout ce qui aurait pu arriver d'autre, n'était pas le fait d'un hasard. Pourquoi tout entraîner vers la putréfaction, vers la fin scindée en mille, comme un réflexe indomptable? Marie-Ange s'assit près du rideau, la tête contre la fenêtre. Elle regardait la poitrine de sa copine. La flamme de la bougie lui réchauffait les doigts. Dehors, la fourmilière s'était tue. Tout le mouvement normal de Montréal cédait la place à une immobilité merveilleuse. Seules les grandes villes endormies peuvent transmettre ce sentiment de pur miracle, lorsque nous sommes en hauteur : enfin la fin. De tout. Les angoisses, au fond, n'existent pas. Rien n'existe. Pas en ce moment. Ce néant s'appelle tranquillité.

Et Anthony, comment allait-il chez sa sœur ? L'avait-il déjà oubliée ? Car on ne sait pas, un nouveau bonheur fait peut-être oublier le précédent. Il suffirait qu'il rencontre un grand bonheur, un plus grand que celui d'une mère jouant avec son fils. Elle regarda la flamme vaciller, inévitablement attirée par le tissu blanc du rideau qui pendait avec grâce. Tout était une question de contrôle. L'illusion du contrôle pour l'illusion de ne pas sombrer, de ne pas se laisser détruire. Comme c'était prévisible, cette relation de patronne qu'elle avait développée, mais au bout du compte elle ne contrôlait rien, sinon la volonté de détruire ce cercle infernal. D'en finir.

Elle approcha la flamme du rideau, éteignit les étincelles grandissantes plusieurs fois entre ses doigts mouillés. Puis, une tentation mortifère s'empara d'elle, comme un désir de s'envoler. Une étincelle qu'elle ne put éteindre. Le feu prit et monta en ligne solaire jusqu'à la tringle, là-haut. Marie-Ange s'approcha de Christina, la secoua, la jeune femme refusa de se réveiller. Il fallait bien qu'elles en discutent, au moins, avant la fin. Elle la remua encore et lui administra une baffe. Christina ne broncha pas. Marie-Ange perçut cela comme une façon gracieuse et originale d'accepter le destin. Elle la prit dans ses bras et l'emporta dans la salle de bains. Elle la déposa dans la baignoire et sortit. Le feu se propageait d'un rideau à l'autre. Comme ces sentiments qui vous ravagent sans passer par la périphérie, sans être vus par la garde, de ceux qui vont directement au centre de votre être. Marie-Ange se sentit soudainement plus biophile que nécrophile, et l'amour pour cette vie lui serra la gorge avec la fumée. Elle essaya d'ouvrir la porte de la salle de bains. Celle-ci était verrouillée. Le détecteur de fumée hurlait.

— Christina, ouvre cette porte.

— Non.

— J'ai mis le feu.

— Je ne te crois pas.

— Mais oui, c'est vrai.

— Tu ne peux pas avoir fait « ça ».

— Écoute-moi, Christina. Christina ?

Le silence s'installa une longue minute.

— Tu as voulu que je meure. Je reste. Si tu as voulu que je brûle, je vais brûler.

Marie-Ange fut prise d'une crise de fureur, comme en avaient les *berserkir,* ces guerriers-fauves scandinaves qui protégeaient les rois vikings. Elle se métamorphosa en ours par cette rage inconsciente. Ses lèvres se retroussèrent, ses muscles se tendirent, son visage et ses yeux devinrent rouges, et elle se sentit invulnérable. Elle se voyait faire, prise dans une transe quasi religieuse, elle se voyait devenir cette rage destructrice qui l'habitait depuis la mort de sa mère, courant après les poules, bien qu'elle eût des crises de rage depuis ses quatre ans, alors qu'elle hurlait à la lune comme un loup. Elle sentait qu'aucune épée ne pourrait la blesser dans ces moments. Elle était dans la création. Elle défonça la porte d'un coup de pied.

— Détends-toi un peu, Marie-Ange, dit simplement Christina.

Marie-Ange la prit de force et la jeta dans le corridor. Les pompiers arrivèrent, la chambre n'était qu'un immense brasier. Épuisée, Marie-Ange s'assit sur le bord d'un trottoir.

— On m'a expliqué un peu mon problème. Tous les couples passent par l'épreuve du feu. L'épreuve du feu est la désillusion, celle où tout ce qu'on avait imaginé se révèle souillé par la réalité. C'est ce qui appelle à un certain détachement, celui par rapport à l'idole. La prochaine étape est le laisser-être, le laisser-vivre. Je n'y suis pratiquement jamais arrivée. Je m'enfonce dans le mortifère et je prépare mon épreuve du feu.

— Tu en es consciente, à ce point, de tout détruire ?

— Je n'ai jamais tué personne, personne n'a osé me le demander. Je me considère comme raisonnable.

— Tu es sadique.

— Non, le sadique normal veut contrôler, pas détruire.

— Donc tu es destructrice.

— Je ne veux pas te détruire non plus. Je veux que les cercles de pensées s'arrêtent avant la perte d'identité. Quand j'ai peur d'être abandonnée, je cesse d'exister. Je suis complète avec toi, avec l'objet de mon désir. Et si tu refuses de l'être, je cherche probablement à te faire disparaître.

— Donc tu aurais avantage à rester célibataire jusqu'à ce que la vie s'extirpe de toi.

— C'est une bonne idée. Comme tu as refusé de te réveiller sur le sofa, je me suis dit, elle n'est pas consciente de l'épreuve du feu, elle n'a donc pas cessé de m'aimer.

— C'est vrai. Et puis, je me suis enfermée. Donc, je t'ai devinée. Marie-Ange, je t'aime, mais tu n'es plus dans mes fantasmes.

— Tu as décidé que l'amour est une équation impossible. L'amour, ce n'est pas ça, ma chérie. L'amour n'a pas de demeure. Ce n'est pas quelque chose qui vient et qui part, tu verras. Allons nous chercher des peaux d'ours.

— C'est le moment?

— Oui, c'est le moment… Une peau d'ours pour me réchauffer quand je serai seule et que tu m'auras laissée.

— Je te vois autrement.

— J'ai réussi à changer la perception que tu avais de moi?

— Non. Tu m'es devenue invisible.

— C'est vraiment terrible tout ce qu'on peut se dire. Je pense tout de même que j'ai gagné mon point.

Elles partirent au centre-ville visiter quelques magasins de fourrures.

Avec les mains encore douloureuses de la rage scandinave, Marie-Ange flatta, puis essaya un débardeur de peau d'ours noir de Lanaudière, vendu dans une boutique de taxidermie douteuse. Elle se le lança sur les épaules et sentit son âme s'amenuiser et se désintégrer. Elle l'acheta alors que Christina était couchée sur une peau de renard dans un coin du magasin, qu'elle se la fourrait dans la bouche et qu'elle hurlait sa douleur.

Elle se releva péniblement et acheta la peau, celle avec la tête de renard qui avait un sourire marqué par la peur.

— Marie-Ange, je commence à avoir envie d'aller voir ailleurs.

— Oui. Je sais.

— C'est tout? J'aurais aimé que tu te battes pour moi.

— Je suis désolée. Je mène d'autres batailles dont tu n'as pas idée. Mais ne va pas voir ailleurs.

— Je ne sais pas. Tu veux savoir qui?

— Non. Je ne veux pas savoir.

Elles marchèrent jusqu'au métro. Quand la rame arriva, Marie-Ange cria:

— C'est qui?

Mais personne ne l'entendit.

Dans la voiture, elles s'appuyèrent l'une sur l'autre, les seins s'emboîtant comme dans un casse-tête parfait.

Un homme sûr de lui, avec un attaché-case, les pointa et dit, comme face à une certitude:

— *Girls, love it.*

: :

De retour à la maison, Marie-Ange déclara qu'elles devaient faire une pause de quelques semaines. Christina se plia à sa demande, considérant quand même cela comme étant le coup fatal. Marie-Ange débarqua la semaine suivante, en plein février, à New York, où Edwidge avait ouvert une galerie dans le Meat Market. Edwidge lança deux appels téléphoniques et Marie-Ange obtint une entrevue pour être femme de chambre au Waldorf-Astoria. Bon, un hôtel, là où tout s'était terminé pour elle et Christina. Elle vit par ce signe un geste punitif du destin. Elle devint femme de chambre au Waldorf. Et voilà à quoi elle occupait ses journées, à repenser le fumet du griot. Elle se réveilla même un matin et réalisa que cela faisait deux jours qu'elle n'avait pas pensé à Christina. Elle bâtit là-dessus. Elle prit l'habitude d'aller fumer dans la rue.

Quelqu'un a déjà dit que le futur est derrière nous et que chacune de nos actions est préméditée, dans cette conscience primitive que nous avons de l'avenir. Que du primitif, il n'y a que ça de fiable, et il faut donner une importance primordiale à ce primitif distordu. Si l'on pouvait se reproduire, manger, se vêtir et se défendre seul, on le ferait. Autrefois, on n'y arrivait pas, mais on le peut de plus en plus. Voir le temps qui passe de manière linéaire et acheter des calendriers est une façon de se faire faux bond et de se convaincre que l'avenir est bel et bien «à venir». Marie-Ange, femme de chambre au célèbre hôtel Waldorf-Astoria, a choisi la solitude. Elle préférait de beaucoup les chandeliers aux calendriers et l'avenir lui était, pour ainsi dire, méconnu. La pause durait depuis déjà plusieurs mois, l'hiver avait fait place au printemps, donc on ne parlait plus de pause. Christina l'appela pour lui donner des nouvelles d'elle ; oui, elle s'était trouvé du travail ; oui, elle avait une nouvelle copine, une fille de son âge avec laquelle elle aurait peut-être des enfants, tout leur venait si naturellement, elle était heureuse. Elle lui donna aussi des nouvelles d'Anthony, qui demeurait toujours avec sa tante. Cela ne froissa pas la petite vie plate de Marie-Ange.

Non, elle n'était pas prête à venir en voyage à Montréal. Cet été, oui, si elle obtenait des jours de congé, cela la ravirait de les revoir, ses amours de l'autre vie. Elle vaquait dorénavant à ses affaires sans destin, sans plan, sans attente, extirpée de l'ordre des choses. Elle circulait lentement de chambre en chambre avec son chariot de serviettes blanches propres et d'eau de Javel pour les toilettes. Son bonnet blanc orné de dentelle, son tablier ivoire, son rouge à lèvres et sa fine moustache étaient devenus légendaires. Les gens riches et célèbres qui séjournaient dans cet hôtel aimaient voir passer les « Maria », ces femmes de chambre, dans leur accoutrement archaïque. Parfois, Marie-Ange cognait à leur porte, à l'heure du souper, pour leur demander s'ils avaient besoin de serviettes propres. Elle ne se gênait pas, car elle était curieuse de voir qui dormait avec qui. Un soir, elle avait aperçu, par l'entrebâillement de la porte de leur chambre, une femme âgée qui nourrissait elle-même un jeune homme noir ; elle portait à la bouche de son gigolo de petites bouchées de salade Waldorf, des raisins verts, puis des noix de Grenoble. La sueur perlait encore à leurs fronts et Marie-Ange n'avait pu s'empêcher de balayer du regard la chambre et les bouteilles de champagne vides, les verres dans lesquels luisait encore le cognac, les seaux à glace, les lits défaits. Ces objets s'imprimaient sur sa rétine et l'intriguaient tels des tombeaux ouverts sur le ciel bleu de Manhattan. Les chambres simples du septième étage avaient un charme suranné, tout comme ce papier peint typique à feuilles d'or sur fond crème, ressemblant aux feuilles du chêne, qui se décollait par endroits. Les petits savons verts marqués du nom de Waldorf en relief n'étaient pas souvent remplacés; ils restaient, pour la plupart, emballés dans leur papier citronné, et Marie-Ange les adorait.

Dans les dédales de l'hôtel, elle croisait parfois l'infatigable fantôme de Marilyn Monroe, qui y résida pendant quelques mois en 1955, suivi par celui de la reine égyptienne Néfertiti, plus dramatique, dont le buste trônait dans la suite de trois pièces occupée par l'actrice. Marie-Ange s'approchait des vedettes du Waldorf, vivantes ou sous forme d'âmes erratiques, avec la même amitié et la même peur au ventre. Quand elle terminait son quart de travail, en fin de soirée, voyant la panoplie d'affichettes accrochées aux portes closes: «*Please respect the privacy*», elle se sentait un peu amusée, car, avec le métier qu'elle pratiquait, il n'y a vraiment rien qu'on puisse lui cacher, elle passait outre pour regagner ses états généraux: Harlem, chez Edwidge.

Ainsi, la nuit tombée, elle retournait vivre dans Morningside Heights chez Edwidge et sa compagne, la Portugaise reconquise, dans une *first home* moderne, HLM américain plein de gens aux prises avec un stress post-traumatique, anciens soldats ou autres, abandonnés à eux-mêmes, ou simplement artistes. Le bâtiment, qui ressemblait, de l'extérieur, à un immeuble d'appartements de bon goût, avec sa devanture saumon, était beaucoup moins hideux que les premiers HLM de Harlem: d'immenses bâtisses brunes construites ironiquement en forme de croix. La modeste chambre convenait à Marie-Ange, au premier étage, dans ce quartier où les luttes pour les droits étaient encore chaudes. Elles habitaient sur Amsterdam Avenue, tout près de la 110ᵉ Rue, sous l'égide de la cathédrale Saint John the Divine. Marie-Ange avait pu assister à la lecture de *L'Iliade* d'Homère, sous le grand dôme gothique, ce matin-là, jusqu'à l'enivrement. Dans son quartier, elle passait aussi souvent devant l'Université Columbia, où avait été pensée la bombe atomique. Elle faisait de grandes promenades tout autour, et son cerveau bouillonnait à l'idée d'être fécondée par de semblables idées qui pourraient changer le monde.

Que notre monde s'effondre, il fallait que cela lui arrive à elle aussi, par une belle fin de journée ensoleillée, lorsqu'elle trouva un cadavre dans une des chambres à nettoyer. Son bonnet blanc lui serra les tempes. Elle l'enleva, le déposa sur son chariot, se gratta la tête énergiquement, puis referma doucement la porte derrière elle. L'homme sur le dos, les cheveux dorés et gris, reposait sur le lit, dans une tranquillité extrême, les deux mains posées sur les cuisses, un demi-sourire sur les lèvres. Dans cette chambre, la 781, au septième étage, une petite chambre avec un lit simple, il fallait absolument qu'elle change les draps, mais cela allait attendre. Un mort exigeait qu'on s'occupe de lui. Elle retint un cri quand, contournant le lit, elle découvrit le corps d'une femme, tombée au chevet du premier cadavre. Son bras gauche était tendu vers la fenêtre et le reste semblait mou et endormi. Marie-Ange, comme traquée par un chasseur, regarda vivement derrière elle, vers la gauche, vers la salle de bains, et aperçut un troisième corps qui semblait dormir dans le bain. Elle crut le voir trembler un peu de froid, la mort venant tout juste de le prendre à la gorge. La vie s'en allait par le trou du bain, alors que l'ancienne cuisinière posait ses yeux sur le visage du jeune garçon. « Pourquoi à moi, pourquoi à moi ? » Elle fit le tour de la chambre, marchant délicatement sur le tapis épais, avec la peur de dénicher un quatrième corps dans l'hécatombe, elle regarda même au plafond, suppliant de ne pas y voir de corps, suppliant à voix haute l'ange Gabriel. Effrayée, elle allait se retirer discrètement pour alerter les policiers quand elle remarqua, au côté du cadavre dans le lit, un magnétophone en partie couvert par le drap. En se penchant, elle constata que la lumière rouge était encore allumée. La cassette tournait encore et produisait un petit chuintement asthmatique, celui d'une vieille machine ou d'un ruban qui arrive à sa fin. Elle eut le réflexe d'arrêter l'appareil, mais elle retint son geste. Les valises noires adossées au bureau arboraient des drapeaux colorés qu'elle ne connaissait pas. Elle lut les noms rapidement, même nom de famille, même famille : papa, maman et leur grand garçon. Les vacances ou la mort. Il n'y avait pas de traces de violence, pas de violence visible, pas même l'ombre d'une pensée de violence. Elle regarda à nouveau le petit bidule en marche. Elle fut prise d'une autre terrible envie : celle de reculer la cassette, reculer dans le temps, pour entendre les derniers mots de cette famille décimée, les étapes de la fuite. Ce n'était pas son travail, elle n'était pas une inspectrice, elle était une femme de chambre. Et si le garçon était encore vivant ? N'était-il pas de son devoir de le vérifier ?

Elle se rendit d'un pas décidé dans la salle de bains, mit ses doigts sur la gorge de l'adolescent, juste à côté de sa pomme d'Adam. Celle-ci frétilla. La tête du jeune tomba légèrement vers l'avant, Marie-Ange recula et se cogna la tête sur l'armoire. Le garçon ouvrit les yeux et dit quelques mots dans une langue qui lui était inconnue, une langue douce et langoureuse, puis elle entendit une voix féminine appeler le jeune homme : « Gauthier ? Gauthier ? » L'adolescent se leva péniblement, il semblait endormi, avait une haleine qui sentait l'alcool, il ôta les écouteurs de ses oreilles. Marie-Ange balbutia quelques mots et sortit de la salle de bains en clopinant vers son chariot. Le couple était là, debout au milieu de la chambre. La dame enlevait les draps et les lui donna. L'homme bâilla, puis lui sourit. Elle fut éblouie par une forme lumineuse, un ange rose disparaissant au milieu des oreillers moelleux du Waldorf, juste devant le couple, duo immobile. L'homme sortit quelques billets de son pantalon, prit le magnétophone avec étonnement et lui tendit le tout en lui disant «¡ *la propina!*», «le pourboire» en espagnol. Quand Marie-Ange fut sortie de l'hôtel, elle réalisa que c'était son propre appareil à enregistrer. La nuit était tombée sur New York City, l'ange Gabriel avait terrassé Satan et la cassette roulait toujours. Elle qui, depuis la rupture avec Christina, voyait la mort en toutes choses, bien avant que la vie ne prenne son erre d'aller, recula la cassette et appuya sur le bouton de lecture de l'appareil en espérant entendre les voix de cette famille, celle du jeune Gauthier, mais ce furent les premières paroles de *L'Iliade*, enregistrées ce matin-là dans la cathédrale, qui calmèrent ses lubies et lui apportèrent un certain soulagement:

> Goddess, sing the rage of Peleus' son Achilles,
> murderous, doomed, that cost the Achaeans countless
>   losses,
> hurling down to the House of Death so many sturdy
>   souls,
> great fighters' souls, but made their bodies carrion,
> feasts for the dogs and birds,
> and the will of Zeus was moving toward its end.
> Begin, Muse, when the two first broke and clashed,
> Agamemnon lord of men and brilliant Achilles*.

---

* Homer, *The Iliad*, trad. de Robert Fagles, New York, Penguin Classics, 1990, «Book One: The Rage of Achilles».

Après la rupture, un destin s'était accompli, carbonisant tous les autres en enfer, ramenant à la vie la pause aimée, le vide qui nous glisse des mains et nous fait croire que l'on tombe, alors que rien ne se passe, rien ne bouge depuis quatorze milliards d'années. Ainsi, il faut se rassurer, rien ne frissonne quand on pense frissonner.

: :

Pareille à un mammouth retournant en Béringie, à une truite ramant jusqu'à la source, Marie-Ange acheta un billet de train pour Montréal. Elle reprit ses aises dans sa maison, rappela son fils sur-le-champ et sentit à l'instant que sa vie avançait ici. Sa sœur sortit Anthony sur le balcon, tel un sac d'ordures, et le laissa là pour ne pas avoir à croiser Marie-Ange. Celle-ci descendit du taxi et son fils courut se jeter dans ses bras en balançant son sac à dos sur le trottoir. Ils allèrent manger du poulet frit au restaurant. Le décor sans Christina était sain. Elle ne l'appela pas. Les semaines passèrent. Elle se remit aux fourneaux, après avoir repris contact avec certaines familles, qui rugirent au plaisir de la retrouver. Elle se passera de Marina, la mère de Christina. Elle vivait dorénavant avec le fantôme de son ancien amour comme on accepte un esprit dans sa demeure.

« Je sais que tu es là, mais cela me laisse sans espoir, sans désespoir, sans excitation, sans douleur. »

Elle alla dans un restaurant-bar underground, loin du Village, et sirota des cocktails, seule. Une véritable bombe blonde féminine se présenta à une table à côté, avec un homme qui devait être son mari. Moyennement grande, cheveux dorés sous les épaules, avec une poitrine généreuse, des fesses incroyables et des jambes musclées dévoilées par une minijupe. Probablement fin quarantaine. La dame regarda Marie-Ange. Habillée de manière professionnelle, elle semblait être ce genre de mère de famille dépassée par la vie que Marie-Ange avait toujours rêvé d'avoir dans son lit. Avec une voix suave qui faisait battre tout le corps de Marie-Ange, cette femme parlait de choses inertes, du décor, des chaises, du paysage. Cet air amusé, las, fatigué, plaisait tellement à la cuisinière qu'elle s'en sentit très attirée. La femme la fixa avec un air autoritaire et un sourire si craquant que Marie-Ange détourna le regard. Elles allèrent payer en même temps.

— Votre ami aurait pu vous inviter, dit Marie-Ange.

— Pourquoi ? On n'est pas dans les années trente, ma chère.

Marie-Ange sourit en levant les yeux au ciel.

— C'est très rare que je sorte au restaurant, étant moi-même cuisinière pour quelques familles, je suis exigeante, donc je ne suis plus au courant des us et coutumes conjugaux. Dans mon temps, les hommes payaient.

— Que de valeurs archaïques ! Tiens donc ! une cuisinière, j'aurais peut-être besoin de vos services. Appelez-moi. Sans faute.

Elle lui tendit sa carte en effleurant sa main et partit en roulant des hanches dans sa jupe serrée. Elle attrapa son manteau de fourrure au vol et sortit, alors que l'homme qui l'accompagnait avait déjà disparu. Marie-Ange ne se fit pas prier. Elle l'appela deux jours après et alla la rencontrer chez elle. Elle sonna à la demeure baroque. La femme la fit entrer. Sa robe de chambre était nonchalamment ouverte et nouée autour du bassin. Elle dévoilait une immense poitrine aux gros bonnets, serrée dans un délicat soutien-gorge de dentelle noire.

— *Let's start this.* Quel regard tu as ! dit l'inconnue en refermant la lourde porte.

Maria-Ange l'empoigna par le col de la robe de chambre et l'adossa au mur. La dame embrassa Marie-Ange, lui enleva sauvagement sa chemise, garda ses mains dans son dos et lui enfila des menottes de fourrure. Elle se laissa faire.

— Je veux pouvoir prendre mon temps. Tu es filmée. En fait, c'est mon mari qui nous filme.

— Ça ne va pas ! Votre mari doit s'en aller tout de suite !

— D'accord.

Elle se retourna.

— Cesse de filmer et casse-toi.

L'homme, piteux, se rhabilla et partit avec des clés d'auto.

Après une journée et une nuit de sexe, Marie-Ange rentra chez elle en taxi et se félicita de ne jamais avoir révélé son nom ou quelque indice qui aurait permis à la dévoreuse de corps de la retrouver. Elle pensa que de manger de gros seins en silicone ne faisait pas avancer la cause de la femme. C'était manifestement une excellente idée de réaliser des fantasmes avec des inconnues, qui devaient rester inconnues. Elles se recroisèrent quelques fois dans ce restaurant-bar, ou ailleurs en ville, sans s'adresser la parole, et leurs regards ne voulaient rien dire. Elle n'était jamais avec le même homme, cette pieuvre blonde nymphomane et solitaire.

Par un bel après-midi ensoleillé, alors que Marie-Ange se promenait dans le quartier gai, elle aperçut Christina attablée à une terrasse, le bras d'une jeune femme autour de ses épaules. La fébrilité dans le regard de Christina quand elle la reconnut, ce soubresaut qui la fit se lever à moitié finit de convaincre Marie-Ange d'aller la voir. Christina s'attacha les cheveux, nerveusement. Elle portait un chandail ajusté bleu ciel qui soulignait la couleur de ses yeux. Elles dirent chacune le prénom de l'autre et échangèrent quelques inepties, leurs doigts se touchèrent, appuyés sur la même clôture de bois, et Marie-Ange continua son chemin. La lumière de ce regard et ce sourire coquin lui étaient tellement familiers. Tous ces non-dits remuèrent la mort et l'impossibilité de leur futur ensemble. L'incompatibilité de leurs vies, les freins qu'elles se mettaient. Tout cela était servi dans un même plat, tel un jeune crocus heureux d'avoir éclos au mois de mai, surpris par un gel tardif et qui se fait tuer par la nuit glaciale. « Éteins ton cerveau. Mange le plat avant qu'il ne devienne trop froid. » Telles étaient les phrases absurdes que Marie-Ange se répétait en marchant vers le fleuve.

6

RÉSURRECTION

London bridge is falling down
falling down falling down

T. S. Eliot, *The Waste Land*

Ça n'allait pas vraiment mieux. Marie-Ange décida d'aller passer quelques semaines dans un monastère. Lorsqu'elle avertit ses clients de son départ imminent, les réponses furent incisives. Ils ne lui donnaient pas de troisième chance, c'était son dernier désistement, elle ferait mieux de les oublier, manger, c'était sérieux, leurs enfants allaient se plaindre, c'était jouer avec leurs nerfs de parents, ils devaient s'organiser autrement à présent. « D'accord, je suis désolée », disait Marie-Ange. « Mais j'en ai rien à foutre » était ce qu'elle pensait vraiment. Elle communiqua avec un monastère ayant deux pensions distinctes, une pour femmes et une pour hommes, cachées dans les boisés. Dès son arrivée, elle fut enchantée de voir la campagne enveloppante qui s'étalait tout autour. Elle entendait les criquets, et le vent chaud lui chatouilla le nez. Elle fut accueillie par une sœur qui lui montra sa chambre. Elle trouva la petite pièce avec lavabo tout à fait adéquate, elle y déposa donc sa valise et s'étendit quelques instants pour faire la paix avec la route. Elle regarda le décor, s'attarda au crucifix, à la Bible, au dépouillement, au silence. Elle se roula dans un drap et s'endormit. Un gong la réveilla aux petites heures. Elle fit sa toilette et descendit au réfectoire. C'est là qu'elle rencontra Gloria, humble servante à l'étrange féminité, élancée sous ses vêtements ternes. Elle devait avoir trente-cinq ans et, sans avoir pour autant rejoint les rangs de l'ordre, passait sa vie dans ce monastère, pour méditer sur divers textes sacrés. Elle se décrivait comme une mystique, mais les gens l'appelaient à manche couverte « l'extatique ». Marie-Ange la trouvait fascinante. Elle offrit ses services à la cuisine, après avoir discuté avec Gloria de son implication dans la petite communauté pour la durée de son séjour. Tout le monde se réjouit de ses talents et elle fit même les courses avec la sœur supérieure et lui enseigna quelques recettes modestes et goûteuses. Au cours d'une promenade dans les sentiers avec Gloria, qui lisait sa Bible tout en marchant, Marie-Ange se surprit à revoir dans sa tête le moment où elle était allée conduire son fils chez sa sœur. Cette dernière lui avait dit au téléphone, après lui avoir raccroché trois fois la ligne au nez : « Tu viens me l'amener sur le perron. » Marie-Ange était donc allée le mener sur la galerie, avait laissé le bagage à ses pieds, et Anthony, en pleurs, avait attendu que sa tante sorte de son bain et vienne lui ouvrir, après avoir vérifié par les rideaux graisseux que sa sœur avait bel et bien disparu.

« Ha ha ! » Marie-Ange avait surgi de derrière une persienne et avait posé sa main sur l'épaule de sa sœur. Celle-ci avait baissé les yeux avant d'enlever sèchement la main sororale et d'entraîner Anthony à l'intérieur. Marie-Ange avait pu apercevoir sa sœur qui, de dos, s'était appuyée contre le mur de la cuisine, et son corps entier avait été secoué par les sanglots. Marie-Ange était partie doucement vers sa voiture. Elle repensa avec tristesse que Christina n'avait, ainsi, jamais rencontré sa belle-famille puisque sa sœur n'avait jamais voulu. Elle avait ouvert si peu pour sa copine, elle avait protégé un château indigne.

Au bord d'un étang, Marie-Ange avait demandé à Gloria de lui lire son passage préféré de la Bible.

— Je vais te confier quelque chose : j'ai remarqué ton goût pour les allégories et pour le symbolisme, je ne me tromperai pas si je te lis l'Apocalypse de Jean. On parle d'un espoir de délivrance. C'est ce que tu es venue chercher, si je ne me trompe pas.

Rencontrer des voyants dans sa vie fait toujours du bien. Ils sont là, tout illuminés par des ribambelles de révélations qui se trouvent à leur portée.

— Tu es comme un palimpseste qui refuse de se dévoiler. Toute cette énergie perdue… Alors voilà, direct dans le chapitre XIII de l'Apocalypse de Jean, Nouveau Testament, trois premiers versets.

La bête qui monte de la mer

Et il se tint sur le sable de la mer. Puis je vis monter de la mer une bête qui avait dix cornes et sept têtes, et sur ses cornes dix diadèmes, et sur ses têtes des noms de blasphème.

La bête que je vis était semblable à un léopard ; ses pieds étaient comme ceux d'un ours, et sa gueule comme une gueule de lion. Le dragon lui donna sa puissance, et son trône, et une grande autorité. Et je vis l'une de ses têtes comme blessée à mort ; mais sa blessure mortelle fut guérie. Et toute la terre était dans l'admiration derrière la bête.

— Et voilà, sois toute en admiration derrière la bête guérie, c'est ce que tu peux faire de mieux.

— Je vais me forcer, promit Marie-Ange

Elles continuèrent leur chemin en reniflant racines et bûches abandonnées, comme des mésanges sur le lichen.

: :

Après avoir soupé, Marie-Ange pensa aller méditer sur les paroles nouvellement accueillies quand Gloria lui proposa autre chose :

— Aujourd'hui, on visite le grenier.

Elles empruntèrent un vieil ascenseur cadenassé, Gloria s'occupait du ménage et donc avait toutes les clés. Quand elles furent au dernier étage, elles durent se pencher pour entrer dans la pièce. Elles se promenèrent parmi les boîtes et les vieux meubles empoussiérés.

— Ce sont les valises des sœurs. Depuis le jour où elles ont déposé leurs choses ici, elles n'y sont plus jamais revenues. C'est merveilleux de se déposer quelque part, de savoir qu'on peut repartir, mais de ne pas en avoir l'envie. C'est vraiment l'idéal d'une vie.

Une affiche «Défense de fumer» sur la vieille porte en bois fit sourciller les deux demoiselles. Tout exploserait juste à enflammer une allumette tellement le bois était sec et craquait sous leurs pas.

Gloria se pencha et sortit d'une boîte de beaux souliers blancs à petits talons.

— Tu veux les essayer?

Marie-Ange s'assit sur une chaise et Gloria se mit à genoux devant elle. Elle débarrassa Marie-Ange de ses sandales, prit un de ses pieds dans sa main et resta ainsi quelques instants. Marie-Ange cessa de respirer et regarda la poitrine de Gloria se soulever et descendre dans sa respiration saccadée. Elle laissa son pied dans la paume chaude de la servante. Gloria avait les yeux baissés. Marie-Ange sentit une douce pression sous son pied quand sa nouvelle amie l'introduisit dans la chaussure d'antan.

Marie-Ange poussa un petit cri quand quelque chose lui transperça la peau de la plante du pied.

— Zut, j'ai une écharde!

Gloria retourna le soulier et il en tomba de petits cailloux et des morceaux de bois.

— Désolée. Il appartenait sûrement à une prome-
neuse comme nous.

Elle regarda le dessous du pied attentivement et
repéra le petit éclat de bois qui s'était fiché dans la
chair. De ses ongles, elle retira l'écharde en maintenant fermement le pied dans ses mains.

— Je vais garder mes sandales, c'est moins dangereux, déclara Marie-Ange en se rechaussant après
avoir relevé Gloria.

Elles passèrent près de douteux instruments de
torture qui étaient accrochés au fond du grenier.

— Tais-toi. Ne va jamais dire à quiconque qu'on
est venues ici.

Si l'on peut vivre les choses par procuration, bâtir
une maison par imagination, de la même façon la
cuisinière examina ces instruments et se demanda ce
qu'ils faisaient là et s'ils pouvaient servir en cuisine.
Étaient-ce des instruments pour les punitions, pour
l'autoflagellation, choses courantes dans les rouages
du catholicisme ? Et si Gloria voulait les tester sur elle,
comme le soulier ? Si elle voulait la battre, comme une
initiée ? En Haïti, on connaissait bien les initiations
vaudoues de toutes sortes, pour empêcher les gens de
parler ou de dévier de la route tracée. Gloria poussa
Marie-Ange dans un coin de manière si douce et se
blottit dans ses bras. Elle lui caressa les cheveux et
sembla en un instant la connaître depuis toujours. Ces
gestes si âpres de protection, dont Marie-Ange avait
trop souvent voulu entourer Christina contre son gré,
ces gestes qui l'amenaient à secourir et à réconforter

le moindre enfant abandonné, le moindre chat de ruelle, et qui tuaient ce qui restait de sauvagerie chez l'autre. Cette douceur qu'on lui avait réclamée, toute petite, et qui l'avait entachée jusqu'au-dessous de l'âme. Ce malheur qu'on venait calmer contre sa poitrine, qu'on serrait et qui nous amenait tendrement sur le chemin de la guérison. Pendant que Gloria se blottissait, Marie-Ange regardait les fouets avec fermeté et envie.

Marie-Ange passait ses journées à marcher sans se promener, l'air hagard, dans les sentiers, mais l'esprit des fleurs qui lui parlait la rassurait. Elle entendit des pas pressés derrière elle, on appelait son nom. C'était une sœur qui la sommait de monter voir Gloria, qui la réclamait à sa chambre.

— Elle ne va pas bien.

— Chère amie.

Marie-Ange rebroussa chemin et suivit la sœur à la course folle.

Gloria était en robe de nuit, les cheveux comme étirés sur la tête à force d'avoir été tenus à pleines mains, elle était en petite boule à la hauteur des oreillers. Le visage bouffi par les pleurs, les chandelles allumées en plein jour.

— Ça ira.

Marie-Ange referma la porte derrière elle et s'agenouilla près de la pauvresse.

— Il n'y a rien qui vaille.

— Au contraire, ma chère amie. Ce matin encore, le cœur ne s'est pas refermé, les choses vont rondement. Tout n'est pas perdu, Gloria.

— Tout est immaculé. Chaque saint est passé par le chemin de la souffrance.

« Le monde est crucifié pour moi, comme je le suis pour le monde. »

Elle se mit à réciter la Bible. Comme une extatique du Tyrol, ses longs cheveux noirs tombant derrière ses épaules, elle s'agenouilla sur son lit, joignit ses mains sur sa poitrine et, levant le menton pour se rapprocher du ciel, elle s'absorba dans la contemplation.

— Quand tu es là, Marie-Ange, je suis prise d'une joie céleste. Ton âme est si pure.

Elle ferma les yeux et médita, avec la faculté de voir les choses qui sont loin. Elle cacha, d'une main alerte, quelques stigmates qui se découvraient sur ses chevilles.

— L'obéissance couvre les paroles entières. Nous mourons avec le Seigneur, nous renaissons avec le Seigneur. Aujourd'hui, j'abandonne les rangs du monastère, Marie-Ange, ou je meurs ici.

Marie-Ange examina la femme avec émotion, l'étudia comme une particularité intéressante, puis sortit, voyant Gloria les yeux fermés toujours en extase.

— Cette scène a lieu tous les vendredis.

— Alors pourquoi vous en être étonnée et être venue me chercher ?

— Parce qu'elle vous a appelée. Des gens viennent pour la voir en transe. Des médecins allemands. Je me suis dit qu'elle voulait partager ses visions et que vous pourriez nous en faire part. Certaines visions sont prémonitoires.

Tels des vautours, deux autres religieuses sortirent de leur cachette avec des sourires inquisiteurs.

— Je vous jure, elle n'a rien dit. Elle a gardé la bouche fermée. Elle avait ses mains comme ça, jointes, et puis elle était agenouillée au pied du lit.

— Justement.

— Elle est irréprochable.

— Et sans sa couronne d'épines, cette fois ?

Les jours suivants, le sentier pédestre devint le seul point d'intérêt et la priorité fut de s'égarer. Elles allèrent sans condition, hérétiques, marcher ensemble. Acte de protestation ou de dévouement, c'était une délectation que d'accompagner cette femme pieuse et obéissante qui voulait rompre avec l'unité de son passé. La moindre de ses paroles était consolation. La faiblesse naturelle de Marie-Ange à se lier aux catacombes des gens lui commandait de naviguer elle-même vers la découverte de Gloria. Celle-ci continua de mourir, en apparence, tous les vendredis, dans une extase sur l'oreiller, elle avait les mains blessées. Quand Marie-Ange était appelée à son chevet, il lui venait la profonde impression de se poser aux pieds de la plus belle lumière du monde, de voir tous les nouveaux motifs du soleil. « Cette fille est exceptionnelle. Celle-là est mon amie intime. Elle crée des liens indissolubles. » La peur qu'une autorité suprême et infaillible ne vienne annuler tout cela lui parut lamentable. Quand les battements du cœur seront moins frappants que la rougeur des pommettes de Gloria, alors le visage de la cuisinière pâlira, dérobant le fleuve du repos. Marie-Ange garda la beauté sauvage de Gloria en tête en bouclant sa valise, pensant peut-être la retrouver plus tard dans les bois épais, à marcher avec ardeur et avec la passion qui l'animait, tout en maintenant cette distance qui fait des gens des amis admirables, et des circonstances, de merveilleux moments.

: :

Cette main que Gloria avait passée sous la plante de son pied, avec une lenteur particulière, l'avait surprise. Le temps avait été frivole, suspendu et inutile dans le grenier, ces heures avaient paru, de l'extérieur, quelques secondes, et ce visage antique, Marie-Ange en était devenue passionnée, dans cette retraite qu'elle avait voulu un observatoire de piété. Jamais elle n'avait cessé d'être pieuse et elle avait prié tous les soirs depuis son arrivée, mais son nouveau désir la tourmentait, il était apparu sans permission. Une peine la terrassa alors qu'elle s'éloignait du monastère, encore plus affligée qu'à son arrivée. La grâce et la lumière que Gloria lui avait transmises la blessèrent et la réchauffèrent grandement. En toutes saisons, elle penserait à cette illumination qu'elle avait eue à ses côtés. « Abandonner les rangs ou mourir. » La perspective de retourner à Montréal lui glaça le sang, comme à l'idée de quitter un paradis aperçu au début du jour et auquel il faut renoncer en soirée. Son désir était si puissant, il la retenait sur ces lieux, il la clouait au sol. Cette fille aux facultés si pulsatives, qui comprenait ce que tous avaient à dire, jamais elle n'avait vu cela, humblement. Ses gardes semblaient s'être retirées, là-haut, dans la chambre où Gloria était en extase, abandonnée. Elle constata qu'il n'y avait plus moyen de se cacher. Que le miracle était éclatant. Elle regrettait, maintenant, cette main sous son pied. Cette fille miraculeuse qu'on voudrait chérir et caresser, avec cette absence du doute qui parfois vient casser l'amitié. Cette personne éclairée qui souvent n'a pas de but, dont la voix sort difficilement de la gorge pour ne pas aveugler ni séduire, dont le ton ne s'élève jamais, même si chaque son est un ordre méditatif orné de souffrances, comme pour donner signe de vie. Une voix qui commande de l'accompagner, dans la perplexité et l'authenticité, alors que le jour nous apparaît dans sa véritable lumière et que considérer cette lumière comme la vérité semble être un moyen de terminer dignement sa vie sur terre. Elle pourrait dire, Marie-Ange, être incapable de quitter cette amie, une personne à l'immobilité parfaite, dont on ne perçoit pas même la respiration, elle pourrait penser être tombée sous le charme d'une personne agenouillée dans une chambre, sans crainte, avec un sourire angélique et une physionomie favorisée, elle pourrait être guidée par des considérations sur le hasard, ou par ses intuitions, et dire qu'elle en est profondément marquée, comme Gloria et ses stigmates, tendrement desséchés. Elle lui avait baisé les mains, les pieds, ses joues s'étaient colorées, néanmoins elle avait réprimé les mouvements qui l'eussent empêchée de dormir ou de manger un seul repas de plus. Insensible à sa vie d'avant, à son travail, à sa famille, à ses amies, à son attitude face aux choses introduites au fil des quarante années de sa vie, insensible à ce pour quoi elle était fervente, Marie-Ange s'assit entre les pins et confia ses peines. Ses yeux noirs exprimèrent son état obstiné, comme sa propre mère, comme son propre fils.

— Je crains de ne pouvoir rester ici une seule seconde de plus.

Gloria poussait les branches de pin et vint s'asseoir sur le tronc tout près de Marie-Ange. Sa valise noire à ses pieds.

— C'est un privilège que de renoncer au monde « matériel », comme tu l'avais choisi.

— Les femmes ici consacrent leur vie à celui qu'elles adorent, et beaucoup quittent même leur propre volonté. Ce qu'elles reçoivent est bien plus grand que ce qu'elles donnent.

— C'est digne.

— Je suis très attachée à ton sujet. Je crois que je vais disparaître avec toi. Si je reste, cela serait la pire des étourderies.

— Ta présence me fait vivre des choses très violentes

— J'ai quitté mon lit avec une douleur terrible. C'était très dur à supporter. Je suis en douleur constante depuis que je t'ai vue.

Marie-Ange respira profondément en remarquant la valise.

— Le jeu n'a aucun attrait pour moi.

— Pour moi non plus, si tu vois avec discernement.

Gloria prit à pleine main celle de Marie-Ange.

— Je veux te rejoindre. Je te veux avec moi.

— Innocente Gloria… Vierge sainte !

— Ma chère amie, cela n'a plus aucun intérêt.

Elle l'embrassa avec empressement.

— Je retrouve ma volonté et ma volonté est de découvrir les plaisirs de ce monde. Tout ce qui est doux, frivole, constant, divin, je veux que tu m'en fasses connaître tous les détails. Cela me manque. Tout me manque.

On entendit des cris de femmes au loin, peut-être ceux d'une amante jalouse se rendant compte du départ de Gloria en retroussant les draps vides.

— Un médecin m'a dit n'avoir jamais vu une fille avec des yeux aussi éclairés que les miens.

— Ce médecin avait raison.

Marie-Ange lui rendit son baiser avec autant de joie.

Elles se dirigèrent vers le stationnement. Les valises lancées dans le coffre, elles sentaient leurs deux âmes pareillement ardentes. Elles décollèrent.

— Dis donc, tout cela a bien changé… Sommes-nous toujours en 1819 ?

Marie-Ange appuya légèrement sur les freins. Elle agrippa la cuisse de Gloria, qui s'esclaffa.

— Mais non, tu verras, c'est un humour de sœurs, je les ai trop longtemps côtoyées.

— Tu te fous bien de ma gueule.

— En effet. Je suis affamée ! Je n'ai rien mangé depuis le 2 mai 1834, ajouta Gloria

— Ha ha.

Ce cœur adorable que Gloria réveillait en elle, Marie-Ange avait espéré de toutes ses forces pouvoir le retrouver, ne l'ayant pas senti depuis l'arrachement à son pays. Elle conduisit en observant le silence, le bonheur la déconcentrant. Gloria examinait la route. Elles roulèrent vers un lieu qui soignait, loin des troupeaux, là où il restait peut-être une mince couche de neige, avançant vers un éventail de témoignages qu'elles entendraient, de toute évidence, en étant séduites et aveuglées, en s'efforçant de rester simples, alors que tout deviendrait pittoresque et éclatant de beauté.

EMILIE ANDREWES

———

Mes univers se situent dans l'envers des rêves. *La séparation des corps* parle de solitude, de manque d'argent, d'alcoolisme, de difficultés relationnelles. Ce roman décrit le quotidien de deux amoureuses montréalaises, que vingt ans séparent, personnages symptomatiques d'un malaise social et économique. Il prend racine dans notre époque, dans l'incarnation fatidique de fantasmes et de tourments. Il est, avant tout, une représentation de l'ordinaire, d'une réalité qui est une création au même titre que la fiction. Après un certain temps, quand la transformation par l'amour n'a pas lieu, la moindre fleur des champs de notre terrain devient anxiogène. Mieux vaut, dès le départ, se rallier à sa propre voie.

Je suis généralement inspirée par une femme surréaliste britannique et par un homme réaliste social américain. Je suis également une enfant de la poésie. Les auteurs de l'absurde me portent tout autant, c'est ce qui me fait le plus rire et le plus mal par surprise.

Écrire, car c'est un rêve nécessaire.

POL TURGEON

———

Pol Turgeon compte plusieurs vies parallèles. Ça commence par le métier d'illustrateur amorcé au tout début des années 1980, après des études en design graphique à l'Université Concordia (Montréal) et à la School of Visual Arts (New York). En résulte une multitude d'illustrations pour des projets de toutes sortes, une production qui sera reconnue dans plusieurs pays d'Amérique et d'Europe et couronnée par plusieurs prix.

Puis, vers de la fin des années 1990, il se consacre de surcroît à des réalisations personnelles en arts visuels, avec, à la clé, plusieurs expositions au Canada et aux États-Unis. À partir de 2007 s'ajoute le rôle de concepteur visuel pour des spectacles de danse–théâtre au sein du collectif Red Rabbit Project.

Son chapelet de vies est encore loin d'être épuisé, ce qui présage encore plusieurs autres expériences créatives étonnantes.

ACHEVÉ D'IMPRIMER EN DÉCEMBRE 2016
SUR DU PAPIER 100 % RECYCLÉ
SUR LES PRESSES DE MARQUIS IMPRIMEUR,
QUÉBEC (CANADA).

9217321SR00142